工作手册使用说明

蒙台梭利将教具操作称为"工作"。工作展示过程要求目标明确、步骤清晰、语言准确。本手册旨在解决蒙台梭利教育学习者在具体操作时遇到的困难和问题，突出体现了以下特点：

第一，在装帧形式上，以手册的形式代替传统的胶钉纸质教材，提高了教材的实用性。蒙台梭利工作的数量较多，工作过程严谨规范。若将蒙台梭利教育理念讲解与教具实际操作内容合编在一本书中，会使得工作材料繁杂、沉重，不便携带和使用。将工作展示页集中以手册的形式呈现，方便学生翻阅，操作时可参考手册中的示范步骤和配套视频，以规范操作方法。

第二，在内容上，追求完整、规范，以促进蒙台梭利教师工作岗位能力的提升。本手册根据蒙台梭利教师工作情境，随工作内容提供具体的操作指南和视频示范，使职前蒙台梭利教师对工作岗位内容有了更全面的了解。

本手册按照蒙台梭利领域教育类型分为五个项目，每个项目根据学习者学习过程的需求，包括导学、实际操作和作业三部分。

导学部分，以"工作导图"的形式呈现各项目涉及的工作内容，使学习者可以清晰了解学习目标及内容。

实际操作部分，包括各项目工作的教具操作活动方案（即展示页），其中具有代表性、较经典的教具操作活动配有示范视频，可扫描二维码观看，方便学习者更直观地掌握教具操作步骤。

作业部分，包括"实训经验分享"和"实践案例诊断"两块内容。在"实践案例诊断"部分，学习者可以先通过扫描二维码观看岗位工作实录视频，再结合学习经验对案例进行分析和评价，以此促进学习者巩固、反思，实现知行合一。

手册式教材的形式尚在初探中，欢迎学习者在使用后提出宝贵意见，以便教材不断改进。

编　者

目 录

项目一　蒙台梭利日常生活领域工作

工作导图

工作名称

基本运动　走线活动、五指抓、三指捏木桩、二指捏、一指按、倒的工作、舀的工作、夹的工作、扫的工作、水区的工作、切的工作等

社交礼仪　基本礼仪(打招呼与告别、握手、鞠躬)

照顾环境　工作的准备(如地毯的卷起或展开)、扫除(如擦桌子)、剪枝、植物栽培(如播种种子)

照顾自己　衣饰框

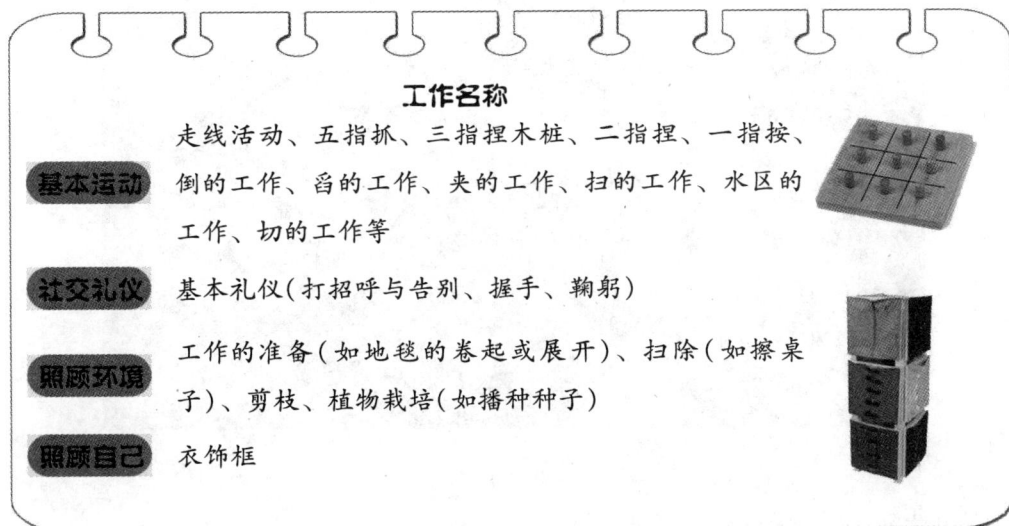

一、日常生活领域基本运动的教具操作活动

(一)工作名称：走线活动

这里重点介绍开展难度比较大的持物走线(图1-1)。

教具构成

桌子、旗子、旗台、珠子、汤匙、乒乓球、玻璃杯盛有颜色的水、铃铛、蜡烛、积木、篮子和水果等。

旗：准备各国国旗及旗台。旗子大小为20厘米×25厘米(布制)，旗杆长30~35厘米。

珠子：用约20厘米长的绳子，串上3~5个珠子。准备五六条这样的珠串。

汤匙和乒乓球：各五六个。

玻璃杯盛有颜色的水：小玻璃杯(最好酒杯大小的)，里面倒入有颜色的水，不用倒满，离杯口1厘米左右；准备五六个。

铃铛：在长20厘米左右的粗线上系上风铃或铃铛，准备五六个。

蜡烛：准备附有烛台的蜡烛五六个。

积木：准备一些已堆积好的积木（也可以用书籍代替）。

篮子和水果：准备垫布和空篮，是能放进水果的篮子，且要配合幼儿头部的大小。

活动前，教师将以上各类用具分类整齐，摆在较大的桌子上。

图 1-1

适宜年龄　3 岁以上。

工作目的

1. 直接目的：培养动作的平衡感觉及身体的协调性。

2. 间接目的：培养独立性、意志力，促进幼儿动作协调；还可作为静寂游戏的间接准备。

工作步骤

1. 旗

（1）起初老师选一面国旗对幼儿说："大家仔细看，老师拿着国旗走路。"在线上步行。

（2）右手小臂与大臂弯曲成直角，旗子保持竖直，腰挺直向前行。

（3）眼睛注视旗子，慢慢往前走。

（4）之后举两面旗子前进。

2. 珠子

（1）老师手拿穿有珠子的绳子站在步行线上，为幼儿做步行示范，并提示"不要使穿珠的绳子摇摆，慢慢前进"。

（2）右手臂呈直角，使绳子自然下垂，以三根手指握住绳子，轻轻地缓步前行。

（3）目光注视前方。

3. 汤匙和乒乓球

（1）"走路时不要让乒乓球掉到地上。"老师做步行示范。

（2）右手臂呈直角弯曲；汤匙以拇指在上，四指在下的姿势握住。

（3）眼睛注视乒乓球。

4. 玻璃杯盛有颜色的水

（1）老师做步行示范，提示"不要让玻璃杯中的水溢出来。"

（2）右手臂呈直角弯曲，握住杯脚，在线上缓步前进。

（3）也可以用两手端着托盘步行。

5. 铃铛

（1）提着铃铛线，提示"走路时不要让铃铛发出声音，仔细看着"。

（2）右手臂向前方伸直，动作要慢，不要使铃铛摇晃。

（3）目光注视前方行进。

6. 蜡烛

（1）握住点燃的蜡烛，站在线上说："走路时不要使蜡烛熄灭，大家注意看。"

（2）右手握着烛台的把手，左手托着烛台行进。

（3）腰杆挺直，注视着火焰步行。

7. 积木

（1）老师说："走路时不要使堆好的积木倒下来，大家注意看。"

（2）手臂紧贴身体，平端着积木注视着最上层的积木行进。

（3）积木堆得越高，难度越大。

8. 篮子

（1）老师在篮子下垫一块布，顶在头上，说："大家仔细看，走路时不要让头上的篮子掉下来。"

（2）背部挺直，最初用手扶住篮子前进，等身体平衡后，便慢慢将手放开。

（3）慢慢地走，眼睛注视前方。

（4）习惯用空篮子后，再在篮子里加上水果做步行练习。

变化延伸

1. 以线上步行和线上游戏练习培养自然状态的步行。

2. 可在室内或户外进行动作优美的步行练习。

3. 可以在平衡木上步行。

4. 可播放快节奏的音乐，让儿童随意活动身体，但要保持手中或头顶的物体平衡。

错误控制

1. 后脚的脚尖和前脚的脚跟分离。

2. 脚超出线外。

3. 身体失去平衡，物体呈现不稳定状态。

兴趣点

1. 脚尖和脚跟交互地在线上行进。

2. 可以知道很多用具的名称和用法。

3. 寻找平衡身体的重心。

注意事项

1. 刚开始不需准备所有的道具。

2. 用具全部摆在步行线外的桌子上，但作为步行使用的道具应放置在醒目的地方。教师可根据情况及时进行线上游戏的引导。

3. 步行练习虽然有教师示范，但一定要有幼儿自己尝试的机会。

4. 练习时间为 10～15 分钟。

5. 配合钢琴伴奏或播放音乐。

（二）工作名称：五指抓

视频资源

五指抓豆子

教具构成

1. 1 个托盘、2 个相同的碗。

2. 一些豆子放在左边的碗中（图 1-2）。

适宜年龄　1.5～2 岁。

工作目的

1. 直接目的：发展手眼协调能力；锻炼手部肌肉，增强手指的灵活性。

2. 间接目的：发展专注力。

工作步骤

1. 告诉幼儿："小朋友，今天我们来做抓豆子的工作。"

2. 邀请幼儿一起工作，确定孩子可以看清楚示范的动作，并没有其他干扰。

3. 先伸出左手，缓缓接近有豆子的碗，五指要紧贴碗壁扶住碗；再伸出右手，四指呈握状，伸进碗中，把豆子抓起。

图 1-2

4. 移到空碗的正上方，松开右手，等豆子掉入碗中，稍作停顿后再继续。直到移空左碗里的豆子。

5. 再用同样的方式把右碗里的豆子移回左碗。

6. 请幼儿进行操作。

变化延伸

1. 更换碗的大小和颜色。

2. 豆子可以换成谷物或其他物品。

错误控制　豆子掉落在托盘上。

兴趣点　豆子落下的声音。

指导用语　抓、放。

注意事项　豆子若有散落，要示范如何用拇指、食指以二指捏的方式一颗颗捡起来放入碗中。

（三）工作名称：三指捏木桩

视频资源

三指捏木桩

教具构成　小木桩教具 1 套、小盘子 1 个、托盘 1 个。

适宜年龄　3～3.5 岁。

工作目的

1. 练习用三根手指转移物体的能力。

2. 训练幼儿的肌肉控制能力。

3. 训练幼儿的手眼协调能力。

工作步骤

1. 将教具从教具柜中取出，放在桌子或工作毯中央。

2. 食指、中指、拇指三指从左到右依次捏出小木桩，放在小盘子里。

3. 用食指触摸木板并明确板上的洞，然后放回木桩，直到所有的木桩都放完。

4. 请幼儿进行操作。

变化延伸　三指捏珠子。

错误控制　木板上的洞。

兴趣点　捏的过程和教具的外形。

指导用语　拔出。

注意事项　木桩的保存。

（四）工作名称：夹的工作（镊子夹纽扣）

教具构成

1. 2 个相同的碗，左边碗中装有 6～10 颗纽扣。

2. 适合幼儿用的镊子。

3. 1 个托盘。

适宜年龄 2.5 岁以上。

工作目的

1. 直接目的：练习捏的动作。

2. 间接目的：培养专注力、秩序感。

工作步骤

1. 介绍工作名称，取教具。

2. 用右手拇指、食指和中指拿镊子，示范夹的动作 3 次，可以配合语言提示"捏、放"。

3. 把镊子靠近装纽扣的左碗中，缓慢用镊子夹取一个纽扣，移入右边空碗，松开镊子，使纽扣落入碗中。

4. 继续进行，直到把所有纽扣移到右碗中。

5. 将纽扣再移回原来的碗中，请幼儿操作。

6. 操作完毕，把镊子归位，将托盘放回教具架。

变化延伸

1. 可改变纽扣的大小和颜色。

2. 可以用镊子夹取移送毛线球、小橡皮等。

错误控制 纽扣没有落入碗中。

兴趣点 纽扣的形状和颜色等。

指导用语 捏、放。

注意事项 安全使用镊子。

（五）工作名称：二指捏硬币

视频资源

二指捏硬币

教具构成 托盘 1 个、存钱罐 1 个、小托盘 1 个、硬币若干。

适宜年龄 2.5~4 岁

工作目的

1. 直接目的：练习二指捏的动作。

2. 间接目的：培养秩序感、注意力、独立性以及手眼协调能力。

工作步骤

1. 将整套教具从教具柜取出，放在桌子中央。

2. 用惯用手捏起一枚硬币，投进存钱罐。

3. 将硬币依次投进存钱罐。

4. 将存钱罐打开，将硬币倒回小托盘中。

5. 操作完毕，将教具放回。

变化延伸 捡豆子，并把不同颜色的豆子选出来。

兴趣点 捏的过程、教具的外形。

指导用语 捏、放。

注意事项 硬币不要太多，一般四五枚为宜。

（六）工作名称：一指按

视频资源

一指按的工作

教具构成 托盘1个、操作板1块、塑料图钉若干。

适宜年龄 2.5～4岁。

工作目的

1. 直接目的：会用拇指按。

2. 间接目的：锻炼手眼协调能力。

工作步骤

1. 将整套教具从教具柜中取出，放在桌子中央(图1-3)。

2. 用惯用手从小盘子里拿出一个图钉(二指捏)，针尖对准软垫的表面；另一只手扶住图钉，用惯用手的拇指向下按图钉。

3. 将小盘子中的图钉都按完。

4. 另一只手扶住软木塞，用惯用手将所有图钉拔下来，放进小盘子。

5. 操作完毕，将教具放回。

图1-3

变化延伸 用图钉插成具像图案，如红星、叶子、水果等，熟练后可插成颜色漂亮的小花。

错误控制 平衡感。

兴趣点 按的动作。

指导用语 按。

注意事项 图钉要经常检查，不要随意放置，避免幼儿被扎伤。

（七）工作名称：倒的工作

教具构成 1个托盘、2个相同的杯子、一些珠子(放在左边的杯子中)。

适宜年龄 2岁以上。

工作目的

1. 直接目的：发展手眼的协调能力；锻炼手部的肌肉。

2. 间接目的：发展专注力。

工作步骤

1. 告诉幼儿："小朋友，下面我要做的是'倒珠子'的工作。"

2. 伸出左手，缓缓地接近有珠子的杯子，五指要紧贴杯壁，再伸出右手，按照同样的方式，稳稳地端起杯子。

3. 将装有珠子的杯子移到空杯子的正上方，确定杯口对着空杯子的中心点，稍作停顿，再慢慢地将珠子倒入空杯子中，注意两个杯口不要碰触。

4. 确定杯子已倒空，将杯子轻轻放回原位。

5. 与步骤 3、步骤 4 相同，将珠子倒回原来的杯子中。

6. 请幼儿进行操作。

变化延伸

1. 更换杯子的大小和颜色。

2. 珠子可以换成谷物或其他物品。

错误控制　珠子掉落在托盘上。

兴趣点　倒珠子的声音。

指导用语　倒。

注意事项

1. 如果有珠子散落，教师示范如何用拇指、食指以二指捏的方式一颗颗捡起来，再放进杯子里。

2. 杯口不要碰撞。

（八）工作名称：舀的工作

视频资源

舀的工作

教具构成

1. 2 个相同的碗、1 个大汤匙(图 1-4)。

2. 其中的 1 个碗中盛有珠子。

适宜年龄　2.5 岁以上。

工作目的

1. 直接目的：学习使用勺子，并发展手眼协调能力。

图 1-4

2. 间接目的：培养专注力和独立性，培养逻辑思维和秩序性。

工作步骤

1. 向幼儿示范用勺子舀珠子的工作。

2. 伸出右手拇指、食指和中指，捏住勺柄。

3. 将勺子放进左边盛有珠子的碗中，轻轻地舀，舀起一勺珠子。

4. 把盛满珠子的勺子慢慢移到空碗上方，并缓慢地将珠子倒出。

5. 继续练习，若剩下的珠子不好舀，可用左手握碗边，使碗倾斜，用勺舀出，直到把珠子全部舀进右边碗中。

6. 再把右碗中的珠子移回左碗中，鼓励幼儿进行操作。

7. 操作完毕，将教具放回。

变化延伸　可以先舀大一点儿的物体，如花生米，再逐渐换成小米。

错误控制　珠子掉落在托盘上。

兴趣点　舀的动作。

指导用语　舀。

注意事项　珠子若有散落，要示范如何以拇指和食指捏的方式把珠子捡起来放进碗里。

(九)工作名称：夹的工作

教具构成

视频资源

夹的工作

1. 筷子 1 双、2 个相同的碟子、托盘 1 个(图 1-5)。

2. 左边的碟子中盛有小猪挂件，右边的碟子是空的。

适宜年龄　2.5 岁以上。

工作目的

1. 直接目的：自如地运用筷子；发展手眼协调能力。

2. 间接目的：培养专注力、独立性，培养逻辑思维和秩序性。

工作步骤

1. 告诉幼儿即将示范用筷子夹小猪挂件的动作。

2. 伸出右手拇指、食指和中指，先将一根筷子放到三指上，再将另一根放上。

3. 给孩子呈现一张一合的动作，并重复说"开、关"。

4. 用筷子将左边碟子中的小猪挂件夹到右边碟子中，动作要慢。

5. 左边碟子中的小猪挂件被移到右边碟子中后，再将右边碟子中的小猪挂件移回左边碟子中。

6. 请孩子操作。

7. 操作完毕，将教具归位。

错误控制　小猪挂件掉落在托盘上。

兴趣点　夹的动作。

指导用语　开、关、夹。

注意事项　小猪挂件若掉落，要示范如何用拇指和食指将其捏起放进碟子中。

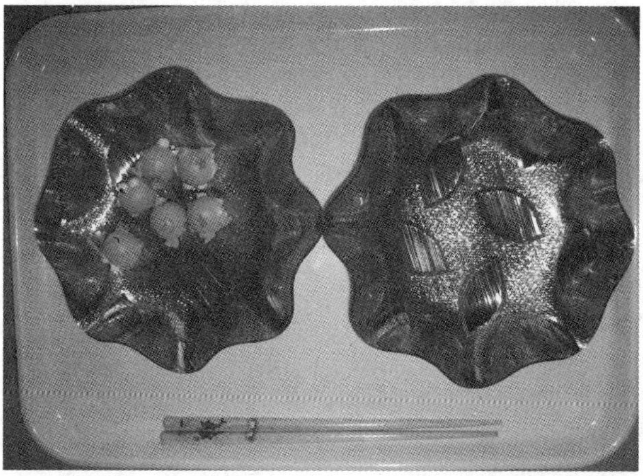

图 1-5

（十）工作名称：用漏斗倒米

教具构成　1个托盘、1个碗(盛有黑米)、1个窄口玻璃瓶、1个漏斗(图1-6)。

适宜年龄　4岁以上。

工作目的

1. 直接目的：学习使用漏斗，发展手眼协调能力。

2. 间接目的：培养秩序感、专注力和观察力。

工作步骤

1. 告诉幼儿即将示范用漏斗倒黑米的动作。

2. 把漏斗放到一个玻璃杯上。

3. 伸出右手，将大拇指与其他四指明显的分开，再缓缓接近碗，稳稳端起碗。

图 1-6

4. 将碗移至漏斗的正上方，倾斜，确定碗口对准漏斗的中心点，稍作停顿，再慢慢地将黑米倒入漏斗中，在倒的过程中，注意放慢速度，一旦有米粒掉出，应立即停止。

5. 确定将黑米全部倒出，再将碗轻轻地放回原位。

6. 稍作停顿，双手拿起玻璃瓶将黑米倒回碗中。

7. 请幼儿进行尝试。

8. 操作完毕，将所有教具放回托盘中，然后放回教具架。

变化延伸

1. 更换不同大小、形状的碗。

2. 更换不同大小的漏斗。

3. 采用带有颜色的水。

错误控制　黑米散落在托盘上。

兴趣点　米发出的声音。

指导用语　倒。

注意事项　若有黑米散落在托盘上，引导幼儿用两指捏起。

(十一)工作名称：扫的工作

视频资源

扫的工作

教具构成　扫帚、刷子、小簸箕，以及盛有红豆的碗(图1-7)。

适宜年龄　4岁以上。

工作目的

1. 直接目的：培养清洁感、秩序感。

2. 间接目的：培养独立性、责任感。

工作步骤

准备：

1. 用粉笔在地板上画个小圈。

2. 在地上散放一些垃圾，可以是豆子、珠子、纸屑等物品。

展示：

1. 系上围裙，到放扫除教具的地方，从挂钩上取下扫帚、刷子、簸箕等。

2. 把教具拿到有垃圾的地方。

3. 右手握住扫帚柄上部1/3的部位，左手放在右手的下方，把垃圾扫到圆圈内。

4. 以绕圈的方式，把全部垃圾扫向中间。

5. 左手拿簸箕，把垃圾扫到簸箕里。

6. 小一点儿的垃圾用刷子扫进簸箕里。

7. 把垃圾倒进垃圾桶里。

8. 簸箕用抹布擦干净，扫帚、刷子上的灰尘也清除至垃圾桶中。

9. 脱下围裙，把教具放回原来的位置。

变化延伸　改变垃圾的形式。

错误控制　扫过后的地上还有垃圾。

兴趣点　把垃圾集中在圆圈里。

指导用语　扫、簸箕。

注意事项

1. 扫帚有不同的种类、拿法，对每种方法都应给予正确的指导。

2. 扫帚的拿法也因人而异。

图 1-7

（十二）工作名称：用海绵移水（水区的工作）

教具构成

1. 2 个相同的碗，左边的碗盛有水，右边的没水。

2. 1 块小熊形状的海绵、1 个托盘（图 1-8）。

适宜年龄　3 岁以上。

工作目的

1. 直接目的：增强手眼协调能力；提高动作控制能力；锻炼生活自理能力。

2. 间接目的：培养独立性、专注力、自信心。

工作步骤

1. 告诉幼儿将要示范海绵移水的工作。

2. 双手握住海绵，给幼儿示范如何用力挤压海绵，可以配合语言提示"挤放，挤放"。

3. 用右手抓住海绵放到装水的碗里，等待海绵吸水。

4. 用两只手轻握住海绵，取出水面，稍作停顿，将水滴沥干。

5. 将海绵移到空碗上方，双手挤压海绵，将水挤到空碗里。

6. 在移水的过程中，观察幼儿的反应，请幼儿进行尝试。

7. 练习结束后，用海绵擦拭有水的区域，并将托盘放回原位。

变化延伸

1. 用一小块布代替海绵。

2. 更换不同大小、颜色或形状的碗。

错误控制　水滴在托盘上。

兴趣点　挤水。

指导用语　挤、放。

注意事项

1. 挤压吸足水海绵的力度应由小到大。

2. 若有水滴在托盘上，应引导幼儿用海绵把水吸干。

图 1-8

（十三）工作名称：用刀切菜（切的工作）

教具构成

1. 1 把小的锯齿刀、1 块切菜板、1 个小碗，以及香蕉、黄瓜等易切食物。

2. 1 个托盘、儿童用围裙、抹布（部分教具如图 1-9）。

适宜年龄　3 岁以上。

工作目的

1. 直接目的：学习使用刀具，发展手眼协调能力。

2. 间接目的：增强秩序感，发展专注力、协调性。

工作步骤

准备：先把手洗干净，穿上围裙，在厨房准备好用具。菜要洗净，切菜板要稍微清洗一下。

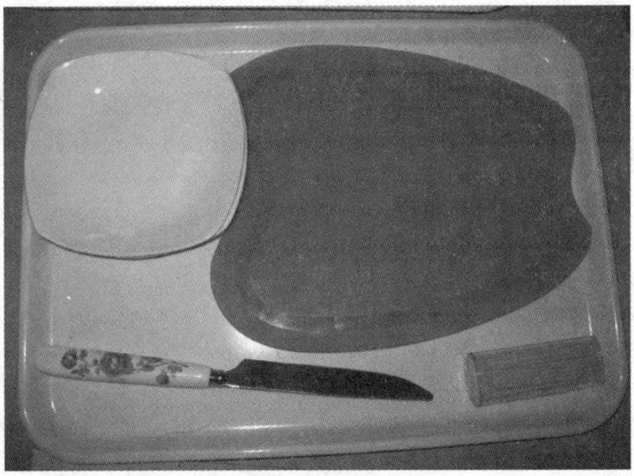

图1-9

展示：

1. 告诉幼儿将要示范用刀切黄瓜的工作。

2. 用双手将洗好的黄瓜拿到切菜板上，横向放好，稍作停顿。

3. 用右手拿住刀柄，缓慢地将刀拿到切菜板上，刀刃要远离身体。

4. 左手按住黄瓜稍前端，轻轻地将刀刃按在黄瓜上。

5. 用力切割，可以配合语言"切"。

6. 切下几片黄瓜，将刀轻轻放下，刀刃要背对身体。

7. 双手将切好的黄瓜抓起来，放到空碗中。

8. 继续练习，直到黄瓜被切完。

9. 小刀和切菜板要小心翼翼地放到托盘上，再将教具放回原来的位置。

变化延伸

可以更换蔬菜和水果的种类，为幼儿准备由软到硬的蔬菜和水果，如香蕉、橘子、苹果、胡萝卜等。

错误控制　黄瓜滚动。

兴趣点　切的动作。

指导用语　切。

注意事项　安全使用工具。

二、日常生活领域社交礼仪的教具操作活动

工作名称：基本礼仪

适宜年龄　2.5岁以上。

工作目的

1. 直接目的：帮助幼儿学习社交礼仪，习得有修养的礼节；帮助幼儿学会讲礼貌，明白人与人之间应该相互理解、相互尊重；培养幼儿亲切、高尚、和善、礼貌的品格；

增强幼儿的自信心、包容心和秩序感。

2. 间接目的：发展幼儿的协调能力；培养幼儿独立交往的能力；锻炼幼儿的语言运用能力。

🎁 第一次展示：打招呼与告别

工作步骤

1. 与幼儿一起探讨礼貌的重要性，特别是礼貌地与他人打招呼，友善地与他人告别的重要性。

2. 与幼儿讨论跟长辈、老师、同学、客人等打招呼、道别时的礼貌行为。

3. 打招呼时，伸出手，握住别人的手，跟对方说"你好""早上好，××"；告别时说"再见""再见，××，谢谢您的款待"。

4. 还可以与幼儿讨论其他情景，进行礼貌练习。

🎁 第二次展示：握手

工作步骤

1. 以正确的姿势站立。

2. 慢慢靠近对方，伸出右手。

3. 握住对方的右手。

4. 看着对方的眼睛微笑（图1-10）。

图 1-10

🎁 第三次展示：鞠躬

工作步骤

1. 抬头挺胸站直，双手自然下垂。

2. 两手慢慢置于腿侧，轻触大腿，头慢慢低下行礼（图1-11）。

变化延伸 教师或幼儿提出一个场景让幼儿进行表演。

错误控制 师幼交往的过程。

兴趣点 有礼貌的行为。

指导用语 "早上好""晚上好""你好"等。

注意事项 不能强迫幼儿改正错误用语和行为。

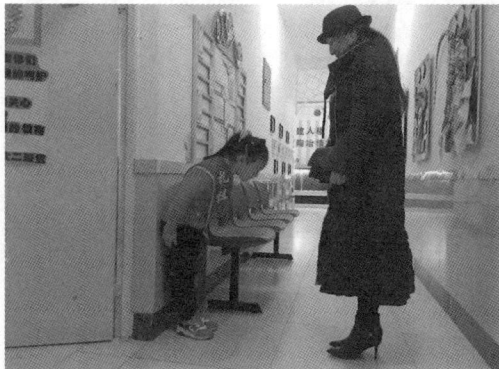

图 1-11

三、日常生活领域照顾环境的教具操作活动

（一）工作名称：地毯的卷起和展开

教具构成　工作用的地毯。

适宜年龄　2.5 岁以上。

工作目的

1. 直接目的：锻炼手眼协调能力，训练手指的动作。

2. 间接目的：培养独立性。

工作步骤

准备：

1. 在固定地点准备好教具，在地毯架上准备有大、中、小 3 种地毯。

2. 地毯材料的选择不要太厚也不要太重。

展开的方法：

1. 搬来一张卷起的地毯，放下。

2. 蹲在卷起的地毯前面。

3. 两手放在地毯左右各 1/3 的地方，拇指放在地毯的下侧，其他手指握住上面。

4. 两手慢慢把地毯摊开。

5. 身体向后退，直到地毯完全展开。

卷起的方法：

1. 蹲在展开的地毯前面。

2. 右手四根手指伸进地毯下方，拇指握在上面，左手动作相同。

3. 将地毯稍稍提高弯向内侧使之卷曲。

4. 卷起后，左右手交替向前压边紧边继续卷。

5. 仔细观察两边是否卷整齐。

变化延伸　卷毛巾。

兴趣点　地毯的两端对齐。

错误控制　两端不整齐，没有完全展开。

注意事项

1. 也可练习地毯表面在里面的卷法。

2. 当地毯太大时，可以考虑由两个人一起展开、卷起。

3. 地毯使用的材料要适合幼儿使用。

(二)工作名称：擦桌子(水区的工作)

教具构成　要擦拭的桌子、放教具的小桌子、塑胶围裙、塑胶垫、水壶、脸盆、水桶、海绵、抹布、毛巾。

适宜年龄　2.5 岁以上。

工作目的

1. 直接目的：学会擦桌子，锻炼肌肉运动的调节能力。

2. 间接目的：培养独立性、专注力和责任感。

工作步骤

准备：

1. 把工作教具搬过来，放在塑胶垫上。

2. 在进入基本操作练习之前，先复习一下捏海绵的动作。

展示：

1. 擦的步骤

(1)系上围裙，把水壶中的水慢慢倒进脸盆里。

(2)擦干壶嘴上的水滴，放回桌上。

(3)把海绵轻轻放入脸盆中，用右手捏干。

(4)从左向右擦拭桌子。

(5)桌子太大时，一次擦拭一半。

(6)接着用干抹布从左向右擦拭。

(7)在脸盆中把海绵洗干净(图 1-12)，捏干后放回托盘里。

(8)将用过的水倒入水桶中。

图 1-12

2. 收拾的步骤

(1)用抹布擦干脸盆和塑胶垫上的水滴。

(2)水壶里再装满水，以备下一个幼儿工作用。

(3)将所有教具归位。

变化延伸

1. 用海绵擦拭椅子、门等。

2. 擦黑板。

3. 可以用较湿的抹布来代替海绵。

兴趣点

1. 海绵擦脏了。

2. 桌子擦拭得干干净净。

指导用语　擦。

错误控制　桌子仍不干净。

注意事项　在工作前亦可先戴腕套。

（三）工作名称：剪枝

教具构成　塑胶盘、小桌子、塑胶垫、装水的玻璃碗、水壶、水桶、瓶刷、剪花用的剪刀（前端圆）、盛盘、纸巾、毛巾、尼龙围裙、海绵、放大镜、花、花瓶。

适宜年龄　3.5 岁以上。

工作目的

1. 直接目的：了解基本的剪花、插花方法；培养美感及对环境的关心。

2. 间接目的：培养专注力、独立性、观察力和亲社会情感。

工作步骤

1. 往玻璃碗里注水，用海绵擦干水滴，放在小桌子上。

2. 从花瓶里拿出花，在玻璃碗中清洗花茎。

3. 用一张纸巾把枯枝、枯叶包好，倒掉玻璃碗中的水。

4. 将花瓶中的水倒进水桶，再拿水壶往花瓶里倒入适量的水。

5. 用瓶刷把花瓶内侧刷洗干净，使用时，以绕圈的方式上下移动来刷。

6. 把花瓶中的污水倒进水桶，再注入清水，注意瓶子的大小及水量。

7. 开始剪枝（图 1-13）。

图 1-13

8. 用放大镜观察花茎的状态及切口，用剪刀斜着剪下一小段，斜面面积越大越利于茎吸收水分。

9. 剪过的花枝插进花瓶中，如果花很多，注意插时要交错位置。

10. 将插好的花放在桌上美化环境。

收拾整理

1. 将茎、叶用纸巾包好放进垃圾桶。

2. 用抹布擦干玻璃碗。

3. 把剪刀仔细擦干净，先用海绵，再用干布擦拭直到没有水滴为止。

4. 倒掉水桶里的水，再用抹布擦拭。

5. 再把水壶装满水以备用。

6. 盘子、塑胶垫的水滴用抹布拭干。

7. 更换新的纸巾。

变化延伸

1. 盆花的养护。

2. 在大花瓶或花篮中插花。

错误控制

1. 花瓶的水溢出来。

2. 残留着枯枝、枯叶。

兴趣点

1. 用放大镜观察茎的切口。

2. 花变得更新鲜了。

指导用语 剪(花枝)。

注意事项

1. 花瓶的摆设最好固定在一个地方。

2. 花瓶的水每天更换，告诉幼儿剪枝的重要性。

(四)工作名称：播种

教具构成 牵牛花的种子、围裙、抹布、毛巾、铲子、浇水器、水桶、小名牌(带竹棒)。

适宜年龄 4.5 岁以上。

工作目的

1. 直接目的：知道种子是什么，了解牵牛花的播种方法及锻炼手指的灵活性。

2. 间接目的：养成具有独立精神的观察力、专注力。

工作步骤

1. 把盛放在玻璃盘中的牵牛花种子拿来。

2. 在花坛中寻找一个位置上浇水，把土翻松再用铲子挖出一些浅沟，一条沟里放一粒种子。

3. 让种子之间保持适当的距离排列种植。

4. 覆上少量的土（图1-14），然后在上面浇水。

5. 在旁边插上名牌，标注种植的年月日。

6. 把使用过的教具洗净擦干。

图 1-14

变化延伸　在一年中适当的季节里，播种适当的种子，以维持花坛中的花草不断，也可种植蔬菜。

错误控制　种子落在土外面，种子跟种子之间没有保持适当的距离，全种在一起。

兴趣点　在土上播种及用铲子挖沟的过程。

指导用语　播种。

注意事项

1. 不要忘记浇水。

2. 让幼儿观察植物生长的过程。

3. 藤蔓开始长出来后，记得插上竹棒、铁丝等进行保护。

四、日常生活领域照顾自己的教具操作活动

工作名称：衣饰框

第一次展示：拉链

教具构成

一块正方形木框的左右有两块布在中央相合，用拉链连接。

适宜年龄　2.5 岁以上。

工作目的

1. 直接目的：学会拉拉链，发展手眼协调能力，锻炼手部肌肉。

2. 间接目的：培养独立穿衣的习惯及自信心和秩序感。

视频资源

拉链

工作步骤

打开：

1. 左手紧紧抓住布料上方。

2. 右手的大拇指和食指捏住拉链的拉环，向下缓缓拉开，一直拉到底，注意不要使衣服松开。

3. 两手的食指和大拇指分别捏住拉链的底部，将拉环拉出。

4. 将左侧布料向左打开，右侧布料向右打开（图1-15）。

扣紧：

1. 将布料合上。

2. 右手食指和拇指捏起拉环，左手食指、中指和拇指将拉槽拿起。

3. 将拉环缓缓放入拉槽中，右手的食指和拇指缓缓往上拉，直到顶端（图1-16）。

4. 整理布料，使其平整。

变化延伸

1. 用不同物品上的拉链进行练习，如毛衣、夹克、裤子、包等。

图1-15

图1-16

2. 鼓励幼儿互相练习。

3. 锻炼手部肌肉，尤其是食指。

错误控制　衣服解不开。

兴趣点　拉开的动作。

指导用语　打开、合上、拉。

注意事项　小心夹到手。

第二次展示：纽扣

教具构成　一块正方形木框，左右两块布在中间相合，用纽扣连接。

适宜年龄　2.5岁以上。

工作目的

1. 直接目的：学会穿带纽扣的衣服，发展手眼的协调能力，

视频资源

纽扣

锻炼手部肌肉，尤其是二指。

2. 间接目的：培养幼儿独立穿衣的习惯和秩序感。

工作步骤

解开：

1. 左手拇指和食指拉住扣孔边的衣襟，右手捏住纽扣，从扣孔里脱出。

2. 左手接住穿过的纽扣，将其拉出。

3. 余下的扣子按照同样方式进行操作（图1-17）。

4. 将左右两侧的布料分别打开。

图 1-17

扣紧：

1. 把两襟合在中央。

2. 右手捏住衣襟，左手指一下扣孔，然后拿起纽扣送进扣孔中。

3. 右手接住穿出的纽扣，左手接住衣襟，左右轻拉。

4. 用同样的方法扣纽扣，直到扣完为止。

5. 整理布料，使其平整。

变化延伸 解衣服的扣子。

错误控制 衣襟不平整，有扣子没扣，纽扣穿错了孔。

兴趣点 纽扣从扣孔中拉进拉出。

指导用语 解扣子、系扣子。

注意事项 大纽扣和小纽扣的操作方法相同。

第三次展示：钩扣

教具构成 一块正方形木框，左右两块布在中央相合，以钩扣连接。

适宜年龄 2.5岁以上。

工作目的

1. 直接目的：学会系钩扣，发展手眼的协调能力，锻炼手部肌肉。

2. 间接目的：培养幼儿独立穿衣的习惯和秩序感。

工作步骤

解开:

(1)从最上面开始,自上而下解钩扣(图1-18)。

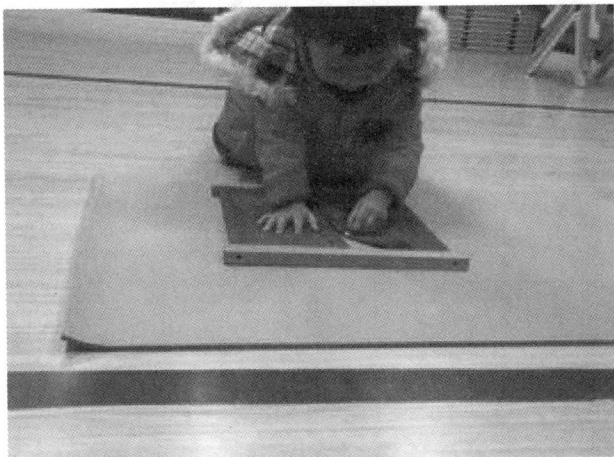

图1-18

(2)左手按住钩扣环部的衣襟,右手捏在钩扣钩部缝线的地方,把钩部推向左边,由环部脱出。

(3)用相同的方法解下面的钩扣。

(4)最后把两襟向左右掀开。

扣住:

(1)把两襟合向中央,从上往下进行。

(2)左手按在下襟环部旁边,右手捏住钩子的缝线处,稍微向左拉,用钩子扣上环部之后略向右拉。

(3)用同样的方法扣其他的钩扣。

(4)整理布料,使其平整。

变化延伸 以裤子的钩扣代替。

错误控制

1. 钩子没有钩住环部。

2. 钩子扣到其他钩子的环部。

兴趣点 钩和环合在一起。

指导用语 拉开、钩上。

注意事项 可在桌面或工作毯上操作。

第四次展示:安全别针

教具构成 一块正方形木框,左右两块布在中央相合,以别针连接。

适宜年龄 2.5岁以上。

工作目的

1. 直接目的：学会使用别针，发展手眼的协调能力，锻炼手部肌肉。

2. 间接目的：培养孩子独立穿衣的习惯和秩序感。

工作步骤

解开：

(1) 从最上面开始，自上而下解开别针。

(2) 左手拇指、食指拿住嵌合针尖的别针头。

(3) 右手拇指、食指夹住别针中央部分，用拇指把针尖压出别针头外。

(4) 拔出针尖。

(5) 再把针尖嵌回别针头。

(6) 其他别针也用同样的方法进行。

(7) 双手把两襟向左右掀开。

扣上：

(1) 把两襟合向中央，从上往下进行。

(2) 把针尖压出来。

(3) 确定别针的位置。

(4) 针尖从上襟的表面刺进去。

(5) 在针尖刺往下襟的时候，先把上、下襟的位置固定好。

(6) 针尖刺过下襟。

(7) 再由下襟里向上襟表面把针尖穿出。

(8) 把针尖压进别针头。

(9) 最后把针尖刺过布时的皱纹抚平。

(10) 把余下的都别上，整理布料，使其平整。

变化延伸 尝试别针的其他使用方法。

错误控制

1. 上、下襟的位置没有对好。

2. 布不平。

3. 针没有别住左右两襟。

兴趣点 把针嵌进、压出的方法。

指导用语 压出、刺入、压进。

注意事项 安全操作，小心别被别针刺伤。

第五次展示：按扣

教具构成 一块正方形木框，左右两块布在中央相合，用按扣连接。

适宜年龄 2.5 岁以上。

工作目的

1. 直接目的：学会按扣，发展手眼的协调能力，锻炼手部肌肉。

2. 间接目的：培养幼儿独立穿衣的习惯和秩序感。

工作步骤

打开：

(1)左手的食指与中指压住最上面按扣的凹部(下襟)。

(2)右手拇指、食指和中指按住按扣的凸部(上襟)的旁边，用力向上掀开按扣(图 1-19)。

(3)从上往下一个一个掀开按扣，直到最后一个(图 1-20)。

(4)双手把左右两块布向左右两边分开(图 1-21)。

  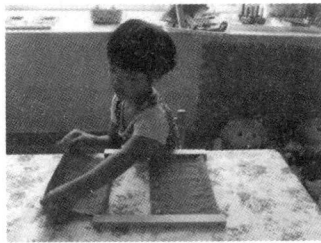

图 1-19　　　　　　　　　图 1-20　　　　　　　　　图 1-21

扣紧：

(1)双手把两边的布拉到中间合起来。

(2)从最上面开始，右手拇指、食指和中指捏住上襟的第一个按扣。

(3)左手食指和中指压在下襟的按扣旁。

(4)然后把扣子的凹部与凸部重合，手指用力压下，继续操作直到全部做完。

(5)整理布料，使其平整。

变化延伸　按衣服上的扣子。

错误控制　扣子没有吻合。

兴趣点　压按扣时发出的声音。

指导用语　拉开、按住。

注意事项　大按扣和小按扣的操作方法相同。

第六次展示：皮带扣

教具构成　一个正方形木框，左右两块布在中央相合，用皮带扣连接。

适宜年龄　2.5 岁以上。

工作目的

1. 直接目的：学会皮带扣的系法，发展手眼的协调能力，锻炼手部肌肉。

2. 间接目的：培养独立穿衣的习惯和秩序感。

工作步骤

解开：

（1）从衣饰框的顶端开始，从上方握住扣环。

（2）左手拇指、食指抓住皮带的尖端向右推。

（3）右手拿住拱起的部分从扣环中抽出。

（4）右手捏住皮带的尖端再向右拉，左手的食指和中指捏住针，从针孔里拉出来。

（5）两手将皮带与扣环完全拉开。

（6）继续进行，直到所有皮带扣完全解开。

（7）把布料向左右分别掀开。

扣紧：

（1）将布料左右合上，从最上面的皮带扣开始系。

（2）右手拿皮带的尖端，左手拿扣环，把皮带的尖端伸进扣环，右手把穿过的皮带向右拉。

（3）提示幼儿注意针孔，左手将针穿进针孔。

（4）左手拿住扣环，右手捏住皮带穿过扣环的左端。

（5）用同样的方法扣其他的皮带扣，直到扣上最下面的一个。

（6）整理布料，使其平整（图1-22）。

变化延伸　幼儿选择不同的皮带扣进行练习。

图 1-22

错误控制　布料从头到尾看起来不对称。

兴趣点　将针穿入皮带孔及拔出针的动作。

指导用语　扣环、抽出、针孔、穿进。

注意事项　大皮带扣和小皮带扣的操作方法相同。

第七次展示：蝴蝶结

教具构成　一块正方形木框，左右两块布在中央相合，被不同颜色的丝带连接。

适宜年龄　2.5岁以上。

工作目的

1. 直接目的：学会系蝴蝶结，发展手眼的协调能力，锻炼手部肌肉。

2. 间接目的：培养独立穿衣的习惯和秩序感。

视频资源

蝴蝶结

工作步骤

解开：

（1）从最上面开始，从上而下地解蝴蝶结。

（2）两手同时抓住带子的两端向左右拉，把蝴蝶结松开。

（3）左手的食指和中指按住两襟，用右手的食指将节挑开。

（4）解开节后，把每条带子往旁边拉直（图1-23）。

（5）再把两襟向左右掀开。

打结：

（1）把两襟合向中央，从上往下系蝴蝶结。

（2）右手把右边的带子拉向左边，左手将左边的带子拉向右边，两者交叉（图1-24）。

（3）右手将上面的带子从交叉点下方的孔洞中穿过，用左手接住，然后左右拉紧。

（4）再将左边的带子距打结处 4～6 厘米的地方绕个圈，拇指和食指牢牢捏住圈的底部。

（5）用右边的带子从后面绕个圈，用右手食指把带子从孔中塞进去，又形成一个圈。

（6）两手捏住圈，同时向两边拉，使其成型（图1-25）。

（7）用同样的方式系其他的蝴蝶结。

（8）整理布料，使其平整（图1-26）。

图 1-23

图 1-24

图 1-25

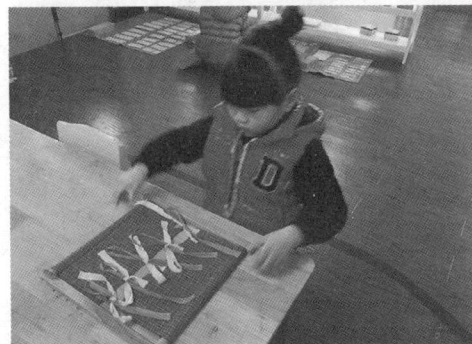

图 1-26

变化延伸 练习系头花和鞋带。

错误控制 蝴蝶结歪斜。

兴趣点 用食指把带子推穿过绕圈的地方。

指导用语 解结、拉开、系结。

注意事项 可在桌面或工作毯上操作。

实训经验分享

设计纸张作业单（以日常生活领域基本动作部分为例）

实训目标

1. 掌握设计制作纸张作业单的规律和特点。

2. 能设计、制作纸张作业单并恰当使用。

3. 有主动设计、制作纸张作业单的意愿。

实训准备

纸张、彩色铅笔。

实训步骤

1. 根据日常生活领域基本动作部分的工作特点，设计纸张作业单，纸张作业单内容包括：名称、使用提示、内容、姓名和日期。

2. 根据设计纸张作业单的目的，以小组为单位完整展示纸张作业单的使用过程。

3. 结合使用情况进行自我评价。

4. 组间评价，提出修改建议。

5. 教师主要从纸张作业单的可操作性、蒙氏教具的衔接性，与儿童行为水平的一致性三个方面进行评价总结，并提出修改建议。

6. 实训小组根据修改建议继续修改提升，修改后在班级板报区进行展示分享。

附：作业单

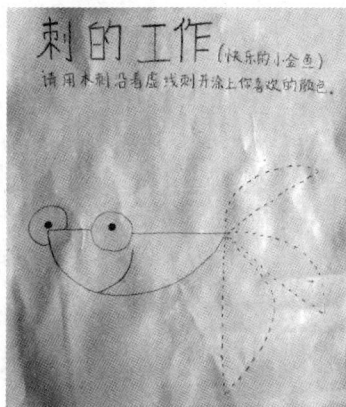

作业单一：刺的工作　　　　　　作业单二：夹的工作

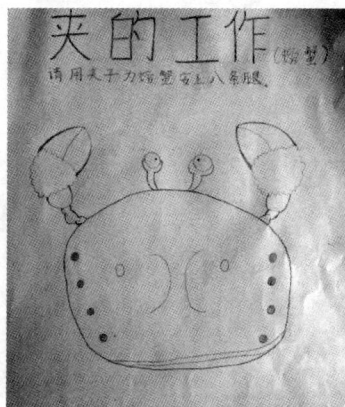

作业单三：刺的工作

作业单四：刺的工作

作业单五：夹的工作

✍ 实践案例诊断

扫描二维码观看岗位工作实录视频"日常生活领域：捞宝石的工作"，并思考和回答以下问题。

1. 视频中的工作内容符合蒙台梭利日常生活领域材料选择和研发的要求吗？为什么？

2. 视频中的教师礼仪怎样？符合蒙台梭利教师的要求吗？为什么？

3. 观看视频后，你有什么收获和启发？试着结合未来工作岗位要求，寻找和强化蒙台梭利幼儿教师的角色意识。

视频资源

捞宝石的工作

项目二　蒙台梭利感官领域工作

🖨 工作导图

工作名称

视觉部分	插座圆柱体、粉红塔、棕色梯、红棒、彩色圆柱体、色板、几何图形橱、建构三角形、几何立体组、二项式、三项式等
触觉部分	砂纸触觉板、布盒、重量板、温觉板
听觉部分	听筒
嗅觉部分	嗅觉瓶
味觉部分	味觉瓶

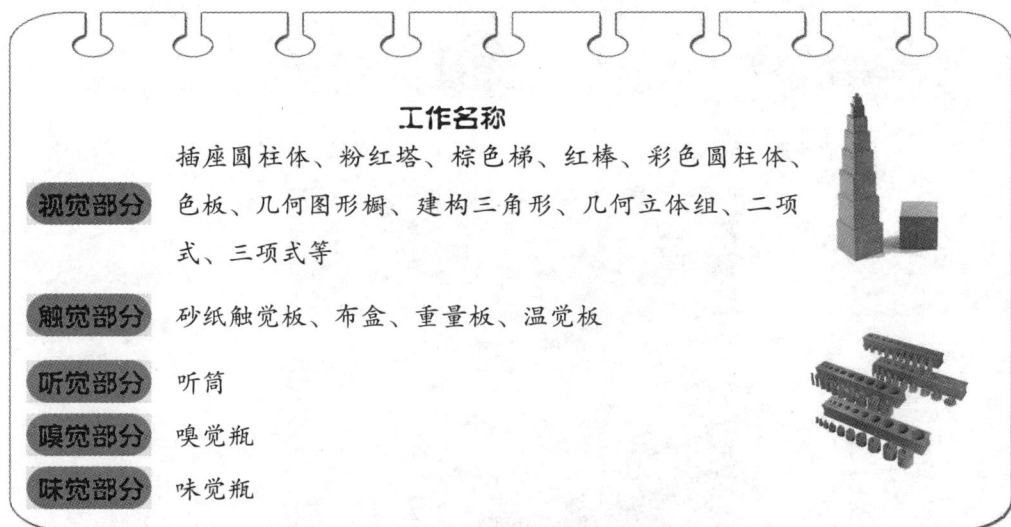

一、感官领域视觉教具操作活动

蒙台梭利曾说：有经验的母亲如果发现幼儿对某事物特别感兴趣，就应该让他尽情看个清楚。

（一）工作名称：插座圆柱体

教具构成

插座圆柱体有 A、B、C、D 四组，外形似木枕，上面有十个凹槽及连着小圆柄的十个圆柱。圆柱与槽的大小、高度遵循一定规则。

A 组圆柱体的粗细一致，约 5.5 厘米，高度最高 5.5 厘米，以 0.5 厘米递减，最低的 1 厘米。

B 组圆柱体的高度一致，约 5.5 厘米，直径最粗 5.5 厘米，以 0.5 厘米递减，最细的 1 厘米。

C 组圆柱体的高度和直径同时以 0.5 厘米递减，高度由 5.5 厘米到 1 厘米，直径由 5.5 厘米到 1 厘米。

D 组圆柱体的高度以 0.5 厘米递增，直径以 0.5 厘米递减，高度由 1 厘米到 5.5 厘米，直径由 5.5 厘米到 1 厘米。

本组教具由易到难分 8 次展示。

第一次展示：配对

视频资源

配对

工作前经验 已有三指捏木桩操作经验或年龄在 2.5 岁以上。

操作材料 插座圆柱体第一组。

工作目的

1. 直接目的：能将圆柱体放进相应的凹槽里。

2. 间接目的：

（1）训练幼儿视觉对物体尺寸的辨别力。

（2）锻炼幼儿手指的灵活性，为书写做准备。

（3）训练幼儿从左至右的方向感。

（4）为学习数学中的一一对应做铺垫。

（5）发展幼儿的秩序感、专注力、协调性和独立性。

工作步骤

1. 取工作毯，铺工作毯，介绍工作名称。①

2. 左手扶底座，右手三指捏圆柱体放在凹槽前，依次全部取出（图 2-1）。

3. 左手捏圆柱体，右手食指和中指感知该组的变量并放下（图 2-2）。

4. 右手食指逆时针描画凹槽。

5. 右手三指捏圆柱体送回凹槽里。

6. 双手食指画半圆检查（图 2-3）。

7. 依次将剩下的圆柱体送回，最后一个用小拇指画半圆检查。

8. 将底座竖过来，食指和中指竖向检查，结束工作（图 2-4）。

图 2-1

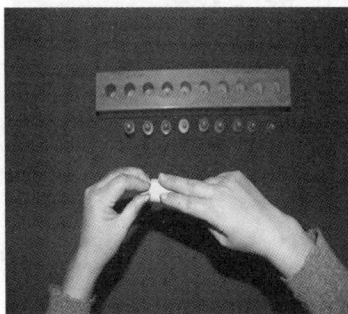

图 2-2

---

① 在以下各工作展示中，除特殊说明在桌面上操作之外，第一步都是"取工作毯，铺工作毯"，不再重复说明。

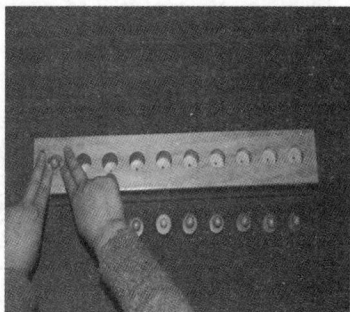

图 2-3

图 2-4

变化延伸

1. 插座圆柱体第二组配对。

2. 插座圆柱体第三组配对。

3. 插座圆柱体第四组配对。

4. 能将生活中常见的物体进行配对。

5. 能将实物与平面图片进行配对。

错误控制　与圆柱体未对应的凹槽。

兴趣点　放进正确凹槽的成就感。

指导用语　插座圆柱体、手柄。

注意事项

1. 这组插座圆柱体的工作是幼儿第一次接触感官教具，教师在进行展示后要充分观察幼儿的接受和使用情况，并为幼儿提供足够自由操作的机会。

2. 幼儿触摸第三组圆柱体时要借助一根木棒或一支铅笔。

3. 此次展示要充分，分成四课时来完成。

第二次展示：排序

视频资源

排序

工作前经验　已在自由工作中操作过插座圆柱体。

操作材料　插座圆柱体第一组。

工作目的

1. 直接目的：能将散放的圆柱体排序，并放进对应的凹槽里。

2. 间接目的：同本工作第一次展示。

工作步骤

1. 介绍教具名称，取出圆柱体散放（图 2-5、图 2-6）。

2. 找出第一个放在凹槽旁，第二个通过比较后找出，放在凹槽旁。教师示范两三个后请幼儿找出剩下的，请幼儿找出并排好（图 2-7）。

3. 将圆柱体送回，右手食指中指并拢画半圆检查，最后一个用小拇指画半圆检查，并竖向检查，结束工作（图 2-8）。

变化延伸

1. 插座圆柱体第二组排序。

2. 插座圆柱体第三组排序。

3. 插座圆柱体第四组排序。

4. 能将生活中的实物进行排序，如套娃、石头、贝壳等（每种实物数量最少要 3 个）。

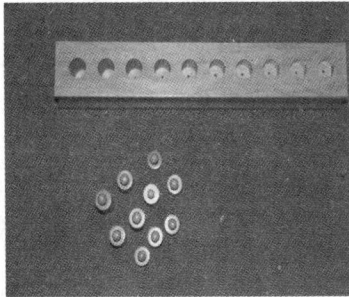

图 2-5

图 2-6

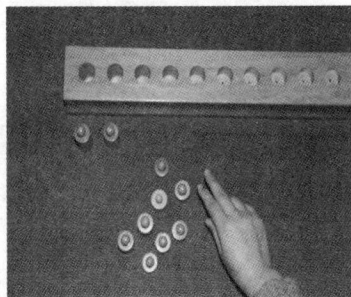

图 2-7

图 2-8

错误控制　圆柱体本身所具有的序列，与圆柱体未对应的凹槽。

兴趣点　排序的过程。

指导用语　圆柱体、排序。

注意事项　此次展示活动要与第一次的展示活动相隔一段时间，如三天或一个星期，具体时间要根据幼儿使用插座圆柱体的情况而定。

第三次展示：名称练习

工作前经验　已能将圆柱体正确排序。

操作材料　插座圆柱体第一组。

工作目的

1. 直接目的：能区分出物体的大小，并能较正确地说出"大的""小的"。

2. 间接目的：同本工作第一次展示。

工作步骤

1. 介绍工作名称，取出圆柱体散放。

视频资源

插座圆柱体的
名称练习

2. 比较排序。

3. 取出最大的、最小的放在前面，按照三阶段教学。

（1）命名：触摸最大的，完全感知，再放下，说出"这是最大的"。请幼儿来感知，依此介绍最小的。

（2）辨别：请你指出哪一个是最大的？那你指一下最小的。教师指最大的，问："这是最小的吗？请把最大的拿给我。"

（3）教师发音：指最大的问："这是最什么样的?"

4. 将最大和最小的圆柱体归位，画半圆检查，并竖向检查，结束工作。

变化延伸

1. 插座圆柱体第二组名称练习"粗的""细的"。

2. 插座圆柱体第三组名称练习"高的""矮的"。

3. 插座圆柱体第四组名称练习"又粗又矮的""又细又高的"。

4. 能辨别生活中常见物体的特征，并说出相应的名称。

错误控制　圆柱体本身。

兴趣点　发音准确的成就感。

指导用语　这是大的/小的/粗的/细的/高的/矮的/又粗又矮的/又细又高的；哪个是大的/小的；这是什么？

注意事项　如果幼儿的语言表达能力较好，教师可教给幼儿一些词汇：最大的、最小的、比较大的、比较小的等。

第四次展示：指示棒的工作

工作前经验　已能熟练操作各组插座圆柱体。

操作材料　任意一组插座圆柱体、木棒 1 根或铅笔 1 支。

工作目的

1. 直接目的：凭视觉找出与凹槽相对应的圆柱体。

2. 间接目的：同本工作第一次展示。

视频资源

指示棒的工作

工作步骤

1. 介绍工作名称，取出圆柱体散放（图 2-9）。

2. 出示指示棒，任意指一凹槽（图 2-10）。

3. 引导幼儿找出正确的圆柱体，放好检查（图 2-11、图 2-12）。

4. 依此类推，将所有的都找到，并竖向检查，再结束工作。

变化延伸

1. 其余三组插座圆柱体的展示。

2. 将两组、三组或四组插座圆柱体组合在一起使用。

3. 可以由 2 名以上的幼儿合作完成该项工作。

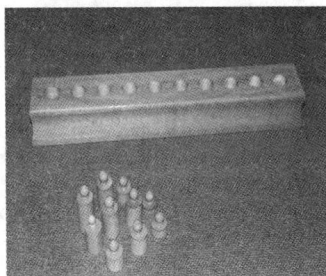

图 2-9

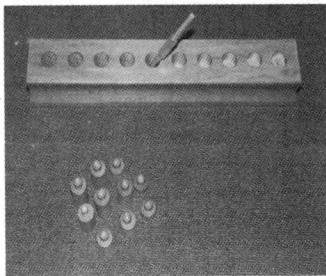

图 2-10

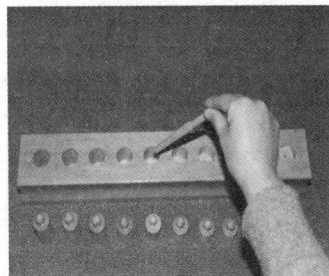

图 2-11

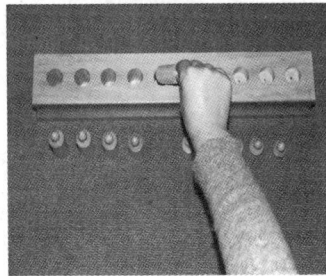

图 2-12

错误控制　与圆柱体一一对应的凹槽。

兴趣点　按指示寻找对应圆柱体的过程。

指导用语　请你找到和这个凹槽一样的圆柱体。

注意事项

此次展示属于插座圆柱体的延伸展示，教师不一定要进行正式的小组展示活动，可在观察幼儿自由工作时，随机对幼儿进行指导。

第五次展示：记忆练习

工作前经验　已能熟练操作各组插座圆柱体。

操作材料　任意一组插座圆柱体、木棒 1 根或铅笔 1 支。

工作目的

1. 直接目的：在进行视觉观察后，凭借记忆找出与凹槽相对应的圆柱体。

2. 间接目的：同本工作第一次展示。

工作步骤

1. 介绍工作名称，取出圆柱体散放，插座放在另一张工作毯上。

2. 说指导用语，引导幼儿操作。

3. 放好检查。

变化延伸

1. 其余三组插座圆柱体的展示。

2. 将两组、三组或四组插座圆柱体组合在一起使用。

3. 可以由 2 名以上的幼儿合作完成该项工作。

错误控制　与圆柱体一一对应的凹槽。

兴趣点　凭记忆找到对应圆柱体而获得的成就感。

指导用语　请你记住这个凹槽，找到和它一样的圆柱体。

注意事项

1. 将插座圆柱体第三组的展示放在比较靠后的位置，因为人的视觉对物体深度的变化不是很敏感。

2. 此次展示属于插座圆柱体的延伸展示，教师不必进行正式的小组展示活动。

第六次展示：蒙眼感知圆柱体

工作前经验　已能熟练操作各组插座圆柱体。

操作材料　任意一组插座圆柱体、眼罩1个。

工作目的

1. 直接目的：锻炼幼儿触觉的感受力和分辨力。

2. 间接目的：同本工作第一次展示。

工作步骤

1. 介绍工作名称，取出圆柱体散放。

2. 戴上眼罩将圆柱体送回对应的凹槽中。

3. 检查，摘下眼罩，结束工作。

变化延伸

1. 其余三组插座圆柱体的展示。

2. 将两组、三组或四组插座圆柱体组合在一起使用。

3. 蒙眼将打乱顺序的圆柱体排好顺序。

错误控制

圆柱体本身所具有的序列，与圆柱体一一对应的凹槽。

兴趣点　蒙眼触摸的趣味性。

指导用语　请戴上眼罩将圆柱体送回对应的凹槽中。

注意事项

1. 将插座圆柱体第三组的展示放在比较靠后的位置。

2. 此次展示属于插座圆柱体的延伸展示，教师不必进行正式的小组展示活动，可在观察幼儿自由工作时，随机进行指导。

第七次展示：组合操作

工作前经验　已能熟练操作各组插座圆柱体。

操作材料　插座圆柱体。

工作目的

1. 直接目的：在加大难度的情况下能将圆柱体放回相对应的凹槽里。

2. 间接目的：同本工作第一次展示。

工作步骤

1. 介绍工作名称，取出圆柱体散放。

2. 请幼儿找到与自己凹槽对应的圆柱体，全部找到后进行检查，结束工作。

变化延伸

1. 可将第三组、第四组插座圆柱体组合在一起进行操作。

2. 可蒙眼进行操作。

3. 可以由 2 名以上的幼儿共同合作完成该项工作。

错误控制　与圆柱体一一对应的凹槽。

兴趣点　组合之后的新奇感。

指导用语　请你把圆柱体放进凹槽里。

注意事项　此次展示属于插座圆柱体的延伸展示，教师不必进行正式的小组展示活动。

第八次展示：找相同

工作前经验　已能熟练操作各组插座圆柱体。

操作材料　四组插座圆柱体。

工作目的

1. 直接目的：在 40 个圆柱体中找出相同的 5 对。

2. 间接目的：同本工作第一次展示。

工作步骤

1. 介绍工作名称，按顺序将圆柱体放到插座旁。

2. 教师示范找出一对一模一样的圆柱体，比高度比底面，请幼儿找出一模一样的圆柱体，找出后比较，圆柱体送回并竖向检查，结束工作。

变化延伸　从日常生活中找相同。

错误控制　圆柱体本身所具有的序列。

兴趣点　比较的过程。

指导用语　请你找出一模一样的圆柱体。

注意事项　此次展示属于插座圆柱体的延伸展示，教师可在幼儿自由工作时随机进行指导。

（二）工作名称：粉红塔

教具构成

1. 10 块木质正方体，粉红色，边长为从 1 厘米到 10 厘米，以 1 厘米为公差的等差数列。

2. 本教具由易到难分6次展示。

第一次展示：垂直积塔

工作前经验 已有插座圆柱体操作经验或年龄在2.5岁以上。

操作材料 粉红塔。

工作目的

1. 直接目的：感知10个正方体在尺寸上的变化，并能将其搭成塔状。

2. 间接目的：

(1)训练幼儿视觉对三维同时变化的物体的辨别力。

(2)幼儿通过观察正方体序列中的大小以及正方体的边、面等的变化，为学习几何做准备。

(3)发展幼儿的秩序感、专注力、协调性和独立性。

工作步骤

1. 由小到大依次把正方体取到工作毯上，散放(图2-13、图2-14)，介绍工作名称。

2. 找出最大的一块正方体，触摸感知后放在工作毯中间，通过比较找出其余正方体中最大的一块进行触摸并垂直积塔，然后依次找出最大的积塔。

3. 积好塔后打开手掌分别从下往上、从上往下感知塔，可以绕工作毯从不同的视角观察，将塔水平放在工作毯上，由大到小送回，结束。

图2-13

图2-14

变化延伸 粉红塔以其中一边为控制叠起成塔状，用最小的一块粉红塔自上而下测量每相邻两块粉红塔的边长差。

错误控制 粉红塔本身的序列。

兴趣点 积塔的过程。

指导用语 粉红塔。

注意事项 触摸时要按一定的顺序。

第二次展示：名称练习

工作前经验 已初步接触过粉红塔。

操作材料 粉红塔。

视频资源

[QR code]

垂直积塔

视频资源

[QR code]

粉红塔的
名称练习

工作目的

1. 直接目的：能区分出物体的大小，并能正确说出"大的""小的"。

2. 间接目的：同本工作第一次展示。

工作步骤

1. 由小到大依次把正方体取到工作毯上，散放，介绍工作名称。

2. 请幼儿通过比较将粉红塔横向水平排列（图2-15），拿出最大或最小的（图2-16）进行最高级的三阶段教学。

3. 归队，送回，结束。

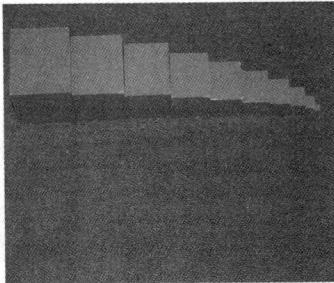

图 2-15

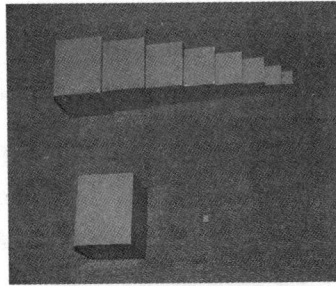

图 2-16

图 2-17

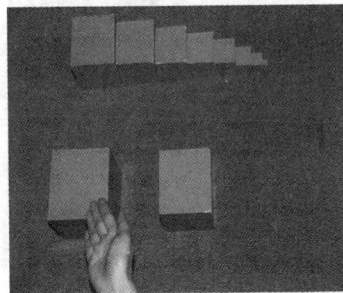

图 2-18

变化延伸

1. 名称练习分三种级别，即最高级（最大、最小）、比较级（比较大、比较小，如图2-17）、一般级（大、小，如图2-18），可根据幼儿情况个别随机进行。

2. 对生活中常见的物体能辨认大小，并说出相应的名称。

错误控制　粉红塔本身的序列。

兴趣点　说出正确名称的成就感。

指导用语　这是大的/小的/最大的/最小的/比较大的/比较小的；哪个是大的/小的；这是什么？

注意事项　根据幼儿掌握的程度，可配备文字卡片"大的""小的"等。

第三次展示：与形式卡的配对（粉红塔有序，形式卡有序）

工作前经验　已比较熟悉粉红塔的操作。

操作材料　粉红塔、粉红塔的形式卡一套 10 张。

工作目的

1. 直接目的：能将粉红塔与形式卡进行正确配对。

2. 间接目的：为幼儿接触平面几何做间接准备，其余目的同前一次展示。

工作步骤

1. 由小到大依次把正方体取到工作毯上散放，介绍工作名称。

2. 排序，出示形式卡，教师将卡片按从大到小的顺序排好。

3. 指形式卡，找到和它一样大的。

4. 找到其他一样大的，将粉红塔放置在形式卡的下 1/3 处，从下至上缓慢推放直到重合，依此类推。将剩下的配对，停顿片刻，将塔归队。

5. 送回，结束。

变化延伸

1. 粉红塔有序，形式卡无序。

2. 粉红塔无序，形式卡有序。

3. 粉红塔无序，形式卡无序。

错误控制　粉红塔本身的序列。

兴趣点　配对的过程。

指导用语　请你找到和粉红塔一样的形式卡。

注意事项　配对时先放在形式卡下方的 1/3 处。

第四次展示：记忆练习

工作前经验　已比较熟悉粉红塔的操作。

操作材料　粉红塔。

工作目的

1. 直接目的：加深幼儿对粉红塔序列的概念，锻炼幼儿的记忆力。

2. 间接目的：

（1）锻炼视觉对物体尺寸在三维间变化时的辨别力；

（2）通过观察正方体序列中的大小，以及正方体边、面等的变化，为学习几何做准备。

工作步骤

1. 由小到大依次把正方体取到工作毯上散放，介绍工作名称。

视频资源

粉红塔的
记忆练习

2. 请幼儿排序，"请你记住现在排列的样子，闭上眼睛"，教师拿走中间一块，并将两侧的正方体向中间推，请幼儿睁开眼睛，问"现在和刚才哪里不一样了"，请幼儿将拿走的那块送回正确位置。

3. 归队，送回，结束。

变化延伸

1. 可用生活中的物品锻炼幼儿对图形变化的建构和记忆。

2. 此项工作可由两名幼儿合作完成。

错误控制　幼儿的视觉辨别力。

兴趣点　闭眼的形式。

指导用语　请你仔细看一下哪块粉红塔不见了，请你记住粉红塔现在的样子。

注意事项

1. 记忆练习要由易到难，逐渐增加难度，由 5 块逐渐增加至 10 块。

2. 此次展示属于粉红塔的延伸展示，教师不必进行正式的小组展示活动，可在幼儿自由工作时随机进行指导。

第五次展示：蒙眼排列粉红塔

工作前经验　已熟悉粉红塔的操作。

操作材料　粉红塔 1 套、眼罩 1 个。

工作目的

1. 直接目的：锻炼幼儿触觉对物体变化的敏锐性。

2. 间接目的：

(1) 巩固对序列的认知和理解。

(2) 通过观察正方体序列中的大小，以及正方体边、面等的变化，为学习几何做准备。

工作步骤

1. 由小到大依次把正方体取到工作毯上散放，介绍工作名称。

2. 请幼儿戴上眼罩将正方体从大到小排序。

3. 检查，结束。

变化延伸　蒙眼排列生活中大小不同的物体。

错误控制　粉红塔本身的序列。

兴趣点　蒙眼的形式。

指导用语　请你戴上眼罩，将粉红塔按照由大到小（由小到大）的顺序排列起来。

注意事项　此次展示属于粉红塔的延伸展示，教师不必进行正式的小组展示活动。

第六次展示：创意建构

工作前经验　已熟悉粉红塔的操作。

操作材料　粉红塔。

工作目的

1. 直接目的：发展想象力和创造力，锻炼动手、动脑能力。

2. 间接目的：

（1）锻炼对物体尺寸在三维间变化时的辨别力；

（2）通过观察正方体序列中的大小，以及正方体边、面等的变化，为学习几何做准备。

工作步骤

1. 由小到大依次把正方体取到工作毯上散放，介绍工作名称。

2. 教师示范一种方式的创意建构（图2-19）。

3. 请幼儿创意建构。

变化延伸　创意建构生活中大小不同的物体。

错误控制　粉红塔本身的序列。

兴趣点　不同创意的新鲜感和成就感。

指导用语　请你来建构一个喜欢的造型。

图 2-19

注意事项

1. 教师要尊重幼儿的创意，不能勉强幼儿模仿教师的方式和方法。

2. 教师要允许幼儿有尝试和探索的过程，不要对幼儿的创意强行干涉或更改。

（三）工作名称：棕色梯

教具构成　10块木质长方体，棕色，长为20厘米，横截面正方形的边长是以1厘米为公差从1厘米到10厘米的等差数列。

第一次展示：水平排序

工作前经验　已有粉红塔操作经验或年龄在2.5岁以上。

操作材料　棕色梯、任意小球两三个、小碟1个。

工作目的

1. 直接目的：能将棕色梯排列成楼梯状，从视觉上感受球从梯状物上滚落下来的过程。

2. 间接目的：

（1）锻炼幼儿视觉对物体尺寸在二维间同时变化时的辨别力。

（2）幼儿通过观察长方体序列中的粗细及长方体的边、面等的变化，为学习几何做

视频资源

水平排序

准备。

（3）发展幼儿的秩序感、专注力、协调性和独立性。

工作步骤

1. 由细到粗把棕色长方体依次取到工作毯上（图2-20、图2-21）散放，介绍工作名称。

2. 通过比较将棕色梯排序（图2-22），以最细的长方体从左往右比较横截面的边长（图2-23），进行错误控制。

图 2-20

图 2-21

图 2-22

图 2-23

3. 拿出若干个球，将它们放在棕色梯上面滚动，听声音。

4. 由粗到细排好顺序并送回，结束工作。

变化延伸　可将棕色梯由粗到细的序列打乱两三块，再将球从上滚下，让幼儿体会有什么变化。

错误控制　棕色梯最细的一根。

兴趣点　排成楼梯状并听小球发出不同的声音。

指导用语　从剩下的里面找出最粗的。

注意事项　小球发音实验可根据幼儿掌握的情况灵活开展。

第二次展示：名称练习

工作前经验　已比较熟悉棕色梯的操作。

操作材料　棕色梯。

视频资源

棕色梯的
名称练习

工作目的

1. 直接目的：能区分出物体的粗细，并能正确说出"粗的""细的"。

2. 间接目的：同本工作第一次展示。

工作步骤

1. 由细到粗把棕色长方体依次取到工作毯上散放，介绍工作名称。

2. 请幼儿排序。

3. 孤立最粗、最细的长方体（图2-24），进行三阶段教学的名称练习。

4. 归队，送回，结束。

变化延伸

1. 三等级的名称练习实施方式同粉红塔。

2. 能辨认生活中常见物体的粗、细特征，并能说出相应的名称。

错误控制　棕色梯本身的序列。

兴趣点　正确命名的过程。

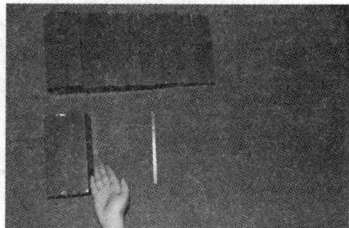

图 2-24

指导用语　这是粗的/细的/最粗的/最细的/比较粗的/比较细的；哪一个是粗的/细的；这是什么？

注意事项　根据幼儿掌握的程度，操作时可配以文字卡片"大的""小的"等。

第三次展示：与形式卡的配对（棕色梯有序，形式卡有序）

工作前经验　已比较熟悉棕色梯的操作。

操作材料　棕色梯、棕色梯的形式卡1套（10张）。

工作目的

1. 直接目的：能将棕色梯与形式卡进行正确配对。

2. 间接目的：

(1)锻炼幼儿视觉对物体尺寸在二维间同时变化时的辨别力。

(2)为幼儿接触平面几何图形做间接准备。

(3)发展幼儿的秩序感、专注力、协调性和独立性。

工作步骤

1. 由细到粗把棕色长方体依次取到工作毯上散放，介绍工作名称。

2. 排序，出示形式卡，教师将它们按从大到小的顺序排好。

3. 指形式卡，找到和它一样大的。

4. 找到其他一样大的，将棕色梯置于形式卡下的1/3处，从下至上缓慢推放直到重合，以此类推，将剩下的配对，停顿片刻，将棕色梯归队。

变化延伸

1. 棕色梯有序，形式卡无序。

2. 棕色梯无序，形式卡有序。

3. 棕色梯无序，形式卡无序。

错误控制　棕色梯本身的序列。

兴趣点　配对的形式。

指导用语　请你找到和棕色梯一样的形式卡。

注意事项　大部分幼儿在此之前都已有操作"粉红塔与形式卡配对"的经验，所以本次的展示教师既可以作为小组教学，也可以直接将棕色梯的形式卡放入教具柜中，由幼儿自由选取。

🎁 第四次展示：记忆练习

工作前经验　已比较熟悉棕色梯的操作。

操作材料　棕色梯。

工作目的

1. 直接目的：加深幼儿对棕色梯序列的概念，锻炼幼儿的记忆力和想象力。

2. 间接目的：同本工作第一次展示。

工作步骤

1. 由小到大依次把棕色长方体取到工作毯上散放，介绍工作名称。

2. 请幼儿排序，"请你记住现在排列的样子，闭上眼睛"，拿走中间一块，两侧向中间推。请幼儿睁眼，问"现在和刚才哪里不一样了"，将拿走的那块请幼儿送回正确位置。

3. 归队，送回，结束。

变化延伸　可用生活中具有相似特性的物品锻炼幼儿对图形变化的建构和记忆。

错误控制　幼儿的视觉辨别力。

兴趣点　闭眼的形式。

指导用语　请你仔细看一下哪块棕色梯不见了，请你记住棕色梯现在的样子。

注意事项

幼儿在使用粉红塔时已有类似的工作经验，可让幼儿自行操作。

🎁 第五次展示：蒙眼排列棕色梯

工作前经验　已熟悉棕色梯操作。

操作材料　棕色梯、眼罩 1 个。

工作目的

1. 直接目的：锻炼幼儿触觉对物体变化的敏锐性。

2. 间接目的：同本工作第一次展示。

工作步骤

1. 由小到大依次把棕色长方体取到工作毯上散放，介绍工作名称。

2. 戴眼罩排序。

3. 检查，结束。

变化延伸　蒙眼排列生活中特征相似的物体。

错误控制　棕色梯本身的序列。

兴趣点　蒙眼排序的过程。

指导用语　请你戴上眼罩，将棕色梯按照由粗到细（由细到粗）的顺序排列起来。

注意事项　幼儿在使用粉红塔时已有类似的工作经验，本展示可由幼儿自行操作。

第六次展示：创意建构

工作前经验　已熟悉棕色梯的操作。

操作材料　棕色梯。

工作目的

1. 直接目的：发展幼儿的想象力和创造力，锻炼幼儿的动手能力。

2. 间接目的：

（1）锻炼幼儿视觉对物体尺寸在二维间同时变化时的辨别力。

（2）幼儿通过观察长方体序列中的粗细及长方体的边、面等的变化，为学习几何做准备。

（3）培养对美的感受力。

工作步骤

1. 由小到大依次把棕色长方体取到工作毯上散放，介绍工作名称。

2. 教师示范一种方式的创意建构。

3. 请幼儿创意建构。

变化延伸　可用棕色梯与粉红塔一起操作，进行创意建构。

错误控制　棕色梯本身的序列。

兴趣点　创意建构的成就感。

指导用语　请你建构一个你喜欢的造型。

注意事项

1. 教师要尊重幼儿的创意，不能勉强幼儿模仿教师的方式方法。

2. 教师要允许幼儿有尝试和探索的过程，不要对幼儿的创意强行干涉或更改。

（四）工作名称：红棒

教具构成　10 根木质红色长棒，粗细一样，长度以 10 厘米为公差，以 10 厘米到 100 厘米的等差数列排列。

第一次展示：长短排序

工作前经验　已有粉红塔操作经验或年龄在3岁以上。

操作材料　一套红棒。

工作目的

1. 直接目的：能按顺序排列红棒。

2. 间接目的：

（1）锻炼幼儿视觉对物体尺寸在一维间变化时的辨别力。

（2）幼儿通过观察红棒的长度变化，为学习几何做准备。

（3）为幼儿学习点数及加减运算做间接准备。

（4）发展幼儿的秩序感、专注力、协调性和独立性。

工作步骤

1. 将红棒由短到长依次取到工作毯上（图2-25、图2-26）散放，介绍工作名称。

2. 将红棒左端对齐排列在一起，左手扶左侧，右手的食指和中指触摸最长的红棒，将最长的放在工作毯上方。用这样的方法将剩下的红棒依次排好（图2-27），用最短的从上到下依次比较红棒的长度。

3. 归队，送回。

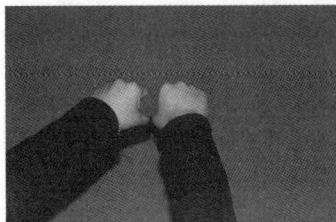

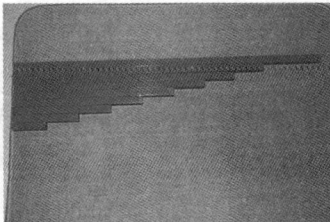

图2-25　　　　　　　图2-26　　　　　　　图2-27

变化延伸　排列生活中相似的物体。

错误控制　最短的一根红棒的长度。

兴趣点　排列的过程。

指导用语　红棒。

注意事项

1. 红棒排列在工作毯上时要左端对齐。

2. 班级内的教师要统一取放红棒的方法。

第二次展示：名称练习

工作前经验　已初步接触过红棒的操作。

操作材料　红棒。

工作目的

1. 直接目的：能区分出物体的长短，并能正确地说出"长的""短的"。

2. 间接目的：同本工作第一次展示。

工作步骤

1. 将红棒由短到长依次取到工作毯上散放，介绍工作名称。

2. 请幼儿排列。

3. 拿出最长的和最短的置于下方，左端对齐，以三阶段教学进行名称练习。

变化延伸

1. 可配文字卡片"长的""短的"。

2. 可将红棒竖起来，让幼儿感受"高的""矮的"，并学习相应的名称。

3. 能辨认生活中常见物体的长、短特征，并说出相应的名称。

错误控制　红棒本身的序列。

兴趣点　排列的过程。

指导用语　这是长的/短的/最长的/最短的/比较长的/比较短的；哪个是长的/短的；这是什么？

注意事项　将两根红棒放在一起比较时，注意左端对齐。

第三次展示：记忆练习

工作前经验　已比较熟悉红棒的操作。

操作材料　红棒。

工作目的

1. 直接目的：加深对红棒序列的概念，锻炼幼儿的记忆力和想象力。

2. 间接目的：同本工作第一次展示。

工作步骤

1. 由长到短把红棒取到工作毯上散放，介绍工作名称。

2. 请幼儿排序。

3. 留5根拿5根置于右下角，将红棒推放至工作毯上侧，"请你记住现在排列的样子，闭上眼睛"。拿走中间一根将上下的红棒向中间推，请幼儿睁眼，问"现在和刚才哪里不一样了"，请幼儿将拿走的那根送回正确的位置。

4. 归队，送回，结束。

变化延伸　可用生活中具有相似特性的物品锻炼幼儿对图形变化的建构和记忆。

错误控制　幼儿的视觉辨别力。

兴趣点　闭眼的形式。

指导用语　请你仔细看一下哪根红棒不见了？请你记住红棒现在的样子。

注意事项　幼儿在使用粉红塔、棕色梯时已有类似的工作经验，本展示可由幼儿自行操作。

第四次展示：蒙眼排列红棒

工作前经验　已比较熟悉红棒的操作。

操作材料　红棒 1 套、眼罩 1 个。

工作目的

1. 直接目的：锻炼幼儿触觉对物体变化的敏锐性。

2. 间接目的：同本工作第一次展示。

工作步骤

1. 由短到长依次把红棒取到工作毯上散放，介绍工作名称。

2. 戴眼罩排序。

3. 检查，结束。

变化延伸　排列生活中具有相似特征的物体。

错误控制　最短的一根红棒的长度。

兴趣点　蒙眼的形式。

指导用语　请你戴上眼罩，将红棒按照由短到长的顺序排列起来。

注意事项　幼儿在使用粉红塔、棕色梯时已有类似的工作经验，可由幼儿自行操作。

第五次展示：创意建构

工作前经验　已熟悉红棒的操作。

操作材料　红棒 1 套。

工作目的

1. 直接目的：发展幼儿的想象力和创造力，锻炼幼儿的动手能力。

2. 间接目的：同本工作第一次展示。

工作步骤

1. 由短到长依次把红棒取到工作毯上散放，介绍工作名称。

2. 教师示范一种创意建构的方式。

3. 请幼儿创意建构。

变化延伸　可用红棒和粉红塔、棕色梯一起操作，进行创意建构。

错误控制　教具本身的序列和对应。

兴趣点　建构的成就感。

指导用语　请你建构你喜欢的造型。

注意事项

1. 教师要尊重幼儿的创意，不能勉强幼儿模仿教师的方式方法。

2. 教师要允许幼儿有尝试和探索的机会，不要对幼儿的创意强行干涉或更改。

(五)工作名称：彩色圆柱体

教具构成　共包括 4 盒圆柱体，颜色分别为蓝、红、黄、绿，变化特征分别与插座圆柱体 A、B、C、D 四组类似。

第一次展示：排序

视频资源

彩色圆柱体

工作前经验

已有插座圆柱体操作经验或年龄在 3 岁以上。

操作材料　任意一盒彩色圆柱体。

工作目的

1. 直接目的：能将散放的彩色圆柱体按照一定的顺序进行排列。

2. 间接目的：

(1)训练幼儿视觉对物体尺寸的辨别力。

(2)为幼儿学习颜色做直接准备。

(3)为幼儿学习数学做间接准备。

(4)注重从左到右的顺序，为幼儿今后学习阅读做准备。

(5)发展幼儿的秩序感、专注力、协调性和独立性。

工作步骤

1. 取任意一盒圆柱体，介绍工作名称。

2. 打开盖子置于盒底(图 2-28)，取出彩色圆柱体、散放(图 2-29)，通过比较、判断，在盒子的右侧排序。

3. 由前往后依次放入盒内，结束。

图 2-28

图 2-29

变化延伸　可几盒彩色圆柱体同时进行操作。

错误控制　彩色圆柱体与盒盖颜色的对应及彩色圆柱体本身的序列。

兴趣点　排序的过程。

指导用语　黄色/红色/蓝色/绿色圆柱体；排序。

注意事项　此项教具既可以放在工作毯上操作，也可放在桌子上操作。

第二次展示：与形式卡配对

工作前经验　已比较熟悉彩色圆柱体。

操作材料

彩色圆柱体 4 盒、彩色圆柱体的形式卡若干张。

工作目的

1. 直接目的：能将彩色圆柱体与形式卡正确配对。

2. 间接目的：同本工作第一次展示。

工作步骤

1. 取彩色圆柱体一盒，取出圆柱体散放，介绍工作名称。

2. 请幼儿将圆柱体排序，出示形式卡与圆柱体进行配对，停顿片刻，圆柱体归队。

3. 送回，结束。

变化延伸　幼儿可自制彩色圆柱体的形式卡。

错误控制　彩色圆柱体本身的序列。

兴趣点　形式卡的多样性。

指导用语　形式卡；请你将圆柱体摆在形式卡上。

注意事项　引导幼儿发现蓝色圆柱体形式卡与其他形式卡不同的原因。

第三次展示：记忆练习

工作前经验　已比较熟悉彩色圆柱体的操作。

操作材料　任意一盒彩色圆柱体。

工作目的

1. 直接目的：加深幼儿对彩色圆柱体序列的概念，锻炼幼儿的记忆力和想象力。

2. 间接目的：同本工作第一次展示。

工作步骤

1. 介绍工作名称，取彩色圆柱体任意一盒。

2. 打开盒盖置于盒子下面，取出彩色圆柱体散放。

3. 请幼儿排序。

4. 请幼儿闭上眼睛，教师拿走其中的一个，请幼儿说出哪个圆柱体不见了。

5. 归队，放回。

变化延伸　可根据幼儿情况，逐渐增加取走圆柱体的数量，使难度逐渐提高。

错误控制　彩色圆柱体本身的序列。

兴趣点　闭眼的形式。

指导用语　请你仔细看一下哪个圆柱体不见了；请你记住圆柱体现在的样子。

注意事项　幼儿在此之前已有类似的工作经验，可由幼儿自行操作。

第四次展示：蒙眼排列圆柱体

工作前经验　已熟悉彩色圆柱体的操作。

操作材料　任意一盒彩色圆柱体、眼罩一个。

工作目的

1. 直接目的：锻炼幼儿触觉对物体变化的敏锐性。

2. 间接目的：同本工作第一次展示。

工作步骤

1. 取任意一盒彩色圆柱体，介绍工作名称。

2. 打开盒子，将圆柱体取出散放，请幼儿戴眼罩排序。

3. 检查，结束。

变化延伸　排列生活中具有相似特征的物体。

错误控制　彩色圆柱体本身的序列。

兴趣点　蒙眼的形式。

指导用语　请你戴上眼罩，将圆柱体排列起来。

注意事项　幼儿在此之前已有类似的工作经验，由幼儿自行操作即可。

第五次展示：组合操作

工作前经验　已有彩色圆柱体的操作经验。

操作材料　彩色圆柱体任意 2～4 盒。

工作目的

1. 直接目的：能发现不同圆柱体组特征的相同与不同。

2. 间接目的：

(1)训练幼儿视觉对物体尺寸的辨别力。

(2)发展想象力与创造力。

工作步骤

1. 介绍工作名称，取彩色圆柱体任意 2～4 盒。

2. 打开盒盖置于盒子底部，分别把圆柱体取出排列在盒子右侧。

3. 自由组合，创意建构(图 2-30)。

4. 观察，收回。

变化延伸

1. 可由 2 名以上幼儿共同合作完成该项工作。

2. 教师可给幼儿提供不同造型的形式卡。

错误控制　彩色圆柱体本身的序列。

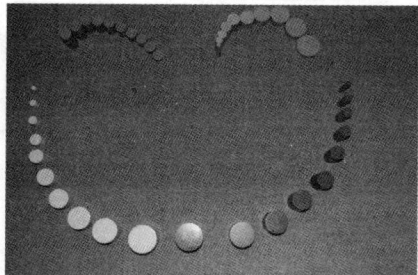

图 2-30

兴趣点　建构的过程。

指导用语　请你用圆柱体建构出漂亮的图案。

注意事项　幼儿在此之前已有类似的工作经验，可由幼儿自行操作。

第六次展示：找相同

工作前经验 已熟悉彩色圆柱体的操作。

操作材料 彩色圆柱体4盒。

工作目的

1. 直接目的：在40个圆柱体中找出形状一模一样的5组圆柱体。

2. 间接目的：同本工作第一次展示。

工作步骤

1. 介绍工作名称，取四盒彩色圆柱体。

2. 分别打开盒盖并将其置于盒底，取出圆柱体，排列在盒子的右侧。

3. 观察、比较，找出相同的5组圆柱体。

4. 归队，收回。

变化延伸 可用彩色圆柱体和圆柱体插座进行对比，找出一样的。

错误控制 彩色圆柱体本身的序列。

兴趣点 找出相同的5组圆柱体的过程。

指导用语 请你找到形状上一模一样的圆柱体。

注意事项 幼儿在此之前已有类似的工作经验，可由幼儿自行操作。

(六)工作名称：智慧塔(感官大组合)

工作前经验 已非常熟悉物体排序并有数棒的工作经验或年龄在4.5岁以上。

操作材料 插座圆柱体、粉红塔、棕色梯、红棒、彩色圆柱体、数棒各4组。

工作目的

1. 直接目的：发展幼儿的想象力和创造力。

2. 间接目的：

(1)加深幼儿对物体配对、序列和分类的认识与理解。

(2)锻炼幼儿与人沟通的能力，学会表达自己的想法。

(3)使幼儿学会尊重他人的想法，能够分工合作。

工作步骤

1. 介绍工作名称，师幼共同取4组插座圆柱体、粉红塔、棕色梯、红棒、彩色圆柱体、数棒，置于室内较大的空阔场地搭建智慧塔(图2-31)。

2. 师幼一起创意建构。

3. 观察，收回。

图 2-31

变化延伸

1. 幼儿分组，自己组合建构。

2. 智慧塔底座可调整变化。

3. 可加入色板。

错误控制　教具本身的颜色和序列。

兴趣点　搭建的新奇感。

指导用语　我们一起搭一座智慧塔。

注意事项

1. 搭建智慧塔时要由简至繁逐步过渡。

2. 教师要充分尊重幼儿的想法，不要过多干涉幼儿操作的过程。

（七）工作名称：色板

教具构成

1. 色板第一盒：木质长方形，共 6 片，红色、黄色、蓝色各 2 片。

2. 色板第二盒：木质长方形，共 22 片，红色、黄色、蓝色、橙色、绿色、紫色、粉色、棕色、黑色、白色、灰色各 2 片。

3. 色板第三盒：木质长方形，共 63 片，红色、黄色、蓝色、橙色、绿色、紫色、粉色、棕色、灰色 9 种颜色由深至浅各 7 片。

色板第一盒的名称练习

工作前经验　已有彩色圆柱体操作经验或年龄在 3.5 岁以上。

操作材料　色板第一盒。

工作目的

1. 直接目的：能分辨出不同的颜色，并正确地说出颜色的名称。

2. 间接目的：

（1）训练幼儿视觉感知的精确性、辨别力。

视频资源

色板第一盒的
名称练习

（2）为幼儿学习美术做准备。

（3）帮助幼儿扩大词汇量并发展语言表达能力。

（4）学会欣赏生活环境中和大自然中色彩的美丽及其多样性。

（5）发展幼儿的秩序感、专注力、协调性和独立性。

工作步骤

1. 介绍工作名称，取色板第一盒（图2-32）。

2. 打开盒盖置于盒底，取出色板，散放（图2-33）。

3. 取一组色板，进行三阶段名称练习（图2-34）。

4. 将两组色板配对（图2-35）。

5. 取任意一块色板，寻找在教室中与之相同的颜色。

6. 将色板配对放好，收回，结束。

变化延伸

1. 取放色板时手指只能碰触色板没有颜色的边缘。

2. 让幼儿在生活环境中寻找与三原色相同或相近的颜色。

3. 为色板配上相应的文字卡片。

4. 让幼儿在美术活动中正确运用色彩去表达自己的感受。

5. 三原色小实验。

图 2-32

图 2-33

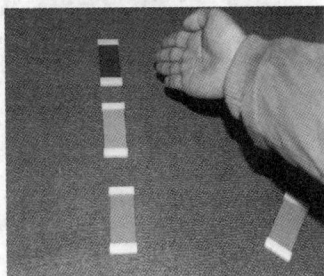

图 2-34

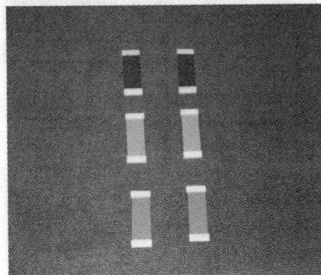

图 2-35

错误控制　色板本身的配对及幼儿视觉的辨别力。

兴趣点　认识颜色的过程。

指导用语　这是红色的/黄色的/蓝色的，请你指一下哪个是红色的/黄色的/蓝色的；请你把红色的/黄色的/蓝色的放在我的手上；这是什么颜色？

注意事项

1. 部分幼儿在入园前已学习过颜色的名称，教师要根据幼儿掌握的情况灵活地组织展示活动。

2. 此项展示既可以放在桌子上进行，也可放在工作毯上进行，但注意桌子和工作毯的颜色要单一、淡雅，以突出色板的颜色。

3. 结合日常生活，认识颜色的丰富多样性。

色板第二盒的名称练习

视频资源

色板第二盒的
名称练习

工作前经验　已熟悉色板第一盒名称或年龄在 3.5 岁以上。

操作材料　色板第二盒。

工作目的

1. 直接目的：能分辨出不同的颜色，并能正确说出颜色的名称。

2. 间接目的：同色板第一盒名称练习。

工作步骤

1. 介绍工作名称，取色板第二盒。

2. 复习红、黄、蓝三原色，请幼儿取出，并散放配对，直接发音。

3. 结合三原色实验的结果认识橙、绿、紫，先进行三阶段名称练习再配对（图2-36）。

4. 拿出粉和棕的色板，请幼儿命名后再配对（粉红塔和棕色梯的操作中幼儿已认识这两种颜色，无须教师再进行三阶段教学）（图2-37）。

5. 请幼儿说出剩下的三种颜色（黑、白、灰）的名称并配对，对不认识的颜色由教师进行三阶段名称练习并配对。

6. 由上至下、由左至右依次成对放回色板，结束。

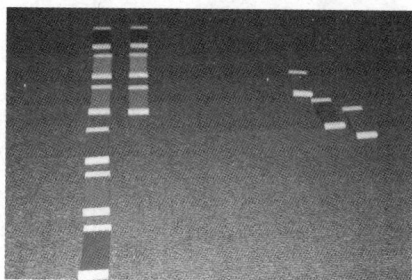

图 2-36

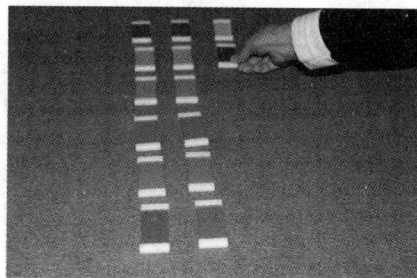

图 2-37

变化延伸

1. 让幼儿在生活环境中寻找与该盒内色板相同或相近的颜色。

2. 为色板配上相应的文字卡片。

3. 让幼儿在美术活动中学习如何调色。

4. 让幼儿在美术活动中学习运用色彩去表达自己的感受。

5. 颜色配对小游戏。

错误控制 色板本身的配对及幼儿视觉的辨别力。

兴趣点 色板的配对。

指导用语 这是红色的/黄色的/蓝色的/橙色的/绿色的/紫色的/粉色的/棕色的/灰色的/黑色的/白色的,请你指一下哪个是红色的;请你把红色的放在我的手上;这是什么颜色?

注意事项 取放色板时手指只能碰触色板的原木色的边缘。其他注意事项同色板第一盒名称练习。

色板第三盒的名称练习

视频资源

色板第三盒的名称练习

工作前经验 已比较熟悉色板第二盒名称练习或年龄在4岁以上。

操作材料 色板第三盒。

工作目的

1. 直接目的:认识颜色的渐变,并能说出同色系颜色的名称。

2. 间接目的:同色板第一盒名称练习。

工作步骤

1. 介绍工作名称,取色板第三盒(图2-38)。

2. 选出一组散放在工作毯上。

3. 找出最深的一块,放在最前面(图2-39),对于不好辨别颜色的深浅度采用十字交叉法(图2-40),依次找出其余色块中最深的,由深至浅横向排列(图2-41)。

图 2-38

图 2-39

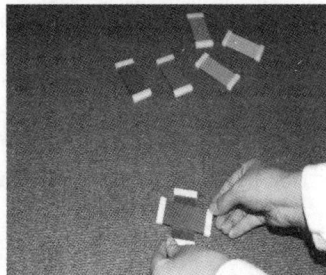

图 2-40

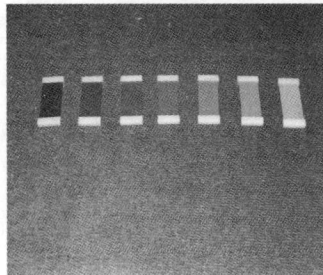

图 2-41

3. 取颜色最深和最浅的色板，将其孤立，进行三阶段教学。

4. 收回，结束。

变化延伸

1. 让幼儿在生活环境中寻找色彩的渐变。

2. 鼓励幼儿用语言描述颜色，如"最深的像什么，最浅的像什么"。

3. 为色板配上相应的文字卡片，如"深红色的""浅红色的"。

4. 用色板进行记忆练习。

5. 用色板进行创意建构，如色板小屋。

6. 让幼儿在美术活动中学习如何调渐变色。

7. 让幼儿在美术活动中学习运用色彩去表达自己的想法。

错误控制　色板本身的序列及幼儿视觉的辨别力。

兴趣点　分辨颜色的过程。

指导用语　这是深红色的/浅红色的，请你指一下哪个是深红色的/浅红色的；请你把深红色的/浅红色的放在我的手上；这是什么颜色？

注意事项

1. 取放色板时手指只能碰触色板的原木色的边缘。

2. 此项展示既可以放在桌子上进行，也可放在工作毯上进行，但要注意桌子和工作毯的颜色要单一、淡雅，以突出色板的颜色。

（八）工作名称：几何图形橱

教具构成　包括几何图形示范屉、几何图形橱、几何图形三系列卡片。

1. 几何图形示范屉：木质，三种形状，包括圆形、正方形、三角形三块嵌板。

2. 几何图形橱：均为木质，共6层。

第一层：圆形屉，从大到小共6块嵌板。

第二层：四边形屉，1块正方形及由宽到窄的5块长方形，共6块嵌板。

第三层：三角形屉，1块等边三角形、1块锐角等腰三角形、1块锐角三角形、1块直角等腰三角形、1块直角三角形、1块钝角等腰三角形，共6块嵌板。

第四层：多边形屉，五边形、六边形、七边形、八边形、九边形、十边形各1块，共6块嵌板。

第五层：不规则四边形屉，2块平行四边形、1块等腰梯形、1块直角梯形，共4块嵌板。

第六层：不规则曲线形屉，1块曲线三角形、1块花菱形、1块椭圆形、1块卵形、1块钝角三角形，共5块嵌板。

3. 几何图形三系列卡片：均为纸质，共6层。

第一层：圆形卡片，6张实心卡片、6张环形卡片、6张空心卡片，共18张。

第二层：四边形卡片，6张实心卡片、6张环形卡片、6张空心卡片，共18张。

第三层：三角形卡片，6 张实心卡片、6 张环形卡片、6 张空心卡片，共 18 张。

第四层：多边形卡片，6 张实心卡片、6 张环形卡片、6 张空心卡片，共 18 张。

第五层：不规则四边形卡片，4 张实心卡片、4 张环形卡片、4 张空心卡片，共 12 张。

第六层：不规则曲线形卡片，5 张实心卡片、5 张环形卡片、5 张空心卡片，共 15 张。

第一次展示：几何图形示范屉的名称练习

视频资源

几何图形示范
屉的名称练习

工作前经验 4 岁以上。

操作材料 基本操作屉。

工作目的

1. 直接目的：认识生活中最常见、最基本的几何图形及其名称。

2. 间接目的：

(1)为幼儿学习平面几何做准备。

(2)幼儿能在生活中发现几何图形的存在。

(3)为幼儿书写做间接准备。

工作步骤

1. 介绍工作名称，取几何图形示范屉(图 2-42)。

2. 左手捏出圆形，右手触摸圆周底面并放在空屉里，命名"这是圆形"(图 2-43、图 2-44)，依次介绍剩下的两个，方法同上，按三阶段教学。

3. 请幼儿在教室中寻找相似形状的物体。

4. 将图形放回嵌板框，触摸衔接处是否平滑，进行错误控制(图 2-45)，结束工作。

图 2-42

图 2-43

图 2-44

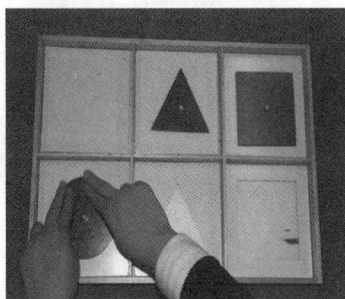

图 2-45

变化延伸

1. 可让幼儿用彩色铅笔拓印基本操作屉中的图形。

2. 幼儿在拓印的基础上进行添画。

错误控制　嵌板与嵌板框的一一对应。

兴趣点　正确命名的成就感。

指导用语　圆形、三角形、方形。

注意事项

1. 用手指捏住手柄来取放嵌板。

2. 注意观察幼儿的接受程度，以此来决定接下来展示几何图形橱的进度。

第二次展示：圆形屉的名称练习

工作前经验　已比较熟悉基本操作屉几何图形的名称。

操作材料　几何图形屉第一层——圆形屉。

工作目的

1. 直接目的：认识圆形并能正确说出名称。

2. 间接目的：同本工作第一次展示。

工作步骤

1. 介绍工作名称，从几何图形橱中取第一层圆形屉（图2-46）。

2. 散放（图2-47），请幼儿将圆形从大到小排序（图2-48）。

3. 孤立大圆和小圆（图2-49），进行三阶段教学。

4. 大圆和小圆归队送回，结束。

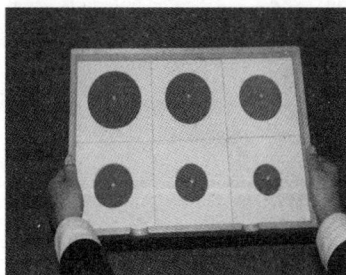

图 2-46

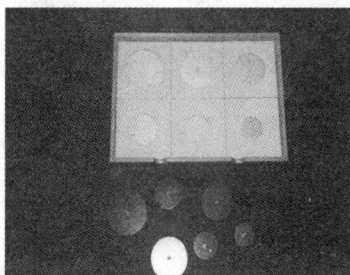

图 2-47

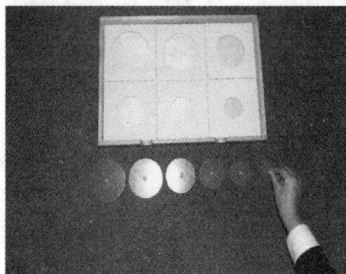

图 2-48

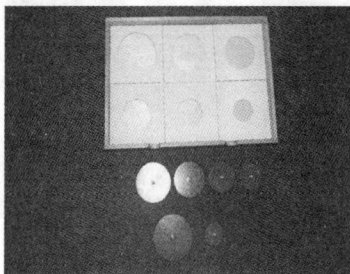

图 2-49

变化延伸

1. 在环境中找圆形并描述出来，如"教室里面的钟表是圆形的"。

2. 可用圆形嵌板进行拓印，并在拓印基础上进行创意添画。

3. 蒙眼练习。

错误控制　嵌板与嵌板框的一一对应及幼儿视觉上的辨别。

兴趣点　嵌板与嵌板框配对的过程。

指导用语　圆形。

注意事项

1. 该项工作比较复杂，教师一定要根据幼儿的理解程度来决定工作的进度，大致需要2～5个月完成。

2. 几何图形橱中的形状名称三阶段教学可根据本班幼儿掌握的情况进行。例如，三角形屉里面的锐角三角形、钝角三角形等的名称练习可灵活安排，若幼儿较难掌握则不必介绍具体图形的名称，只掌握此屉里的都为三角形即可。

第三次展示：图形屉与形式卡的配对

工作前经验　已比较熟悉圆形屉的操作。

操作材料　圆形屉，与圆形屉对应的实心卡片、粗线条卡片、细线条卡片各1套。

工作目的

1. 直接目的：能将圆形嵌板与三系列卡片正确地对应。

2. 间接目的：同本工作第一次展示。

工作步骤

1. 介绍工作名称，取几何图形橱的第一层圆形屉和几何图形三系列卡片第一层圆形卡片。

2. 出示圆形三系列卡片（图2-50），询问幼儿目测三系列卡片的感觉，教师分别介绍实心卡片、粗线条卡片、细线条卡片，依次展示卡片并分别与圆形嵌板配对。

3. 收圆形嵌板、实心卡片、粗线条卡片、细线条卡片，结束。

变化延伸

1. 幼儿自制三系列卡片。

2. 记忆练习。

3. 卡片之间的配对。

4. 几何图形橱其余五层与相应三系列卡片的配对。

错误控制　圆形与三系列卡片的一一对应及三套卡片之间的对应。

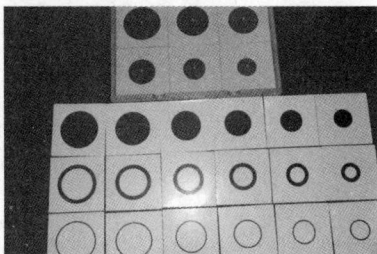

图2-50

兴趣点　依次一一对应的过程。

指导用语　圆形、实心卡片、粗线条卡片、细线条卡片、配对。

注意事项 根据幼儿掌握的情况合理安排工作进度。

(九)工作名称：建构三角形

教具构成

长方形盒Ⅰ：共14片，2片绿色等腰直角三角形、2片黄色等腰直角三角形、2片绿色直角三角形、2片黄色直角三角形、2片灰色直角三角形、2片黄色等边三角形、1片红色直角三角形、1片红色钝角等腰三角形。

长方形盒Ⅱ：共8片，2片蓝色等腰直角三角形、2片蓝色直角三角形、2片蓝色等边三角形、1片蓝色直角三角形、1片蓝色钝角等腰三角形。

三角形盒：共10片，1片灰色等边三角形、2片绿色直角三角形、3片黄色钝角等腰三角形、4片红色等边三角形。

大六边形盒：共11片，1片黄色等边三角形、3片黄色钝角等腰三角形(指示线在底边上)、3片黄色钝角等腰三角形(指示线在两腰上)、2片红色钝角等腰三角形、2片灰色钝角等腰三角形。

小六边形盒：共18片，6片灰色等边三角形、3片绿色等边三角形、6片红色钝角等腰三角形、2片红色等边三角形、1片黄色等边三角形。

蓝色三角形盒：12片蓝色直角三角形。

第一次展示：长方形盒Ⅰ

视频资源

长方形盒Ⅰ

工作前经验 已有几何图形橱操作经验或年龄在4岁以上。

操作材料 长方形盒Ⅰ。

工作目的

1. 直接目的：用三角形建构生活中常见的四边形，并能说出名称。

2. 间接目的：

(1)发展幼儿对线条和图形的辨别力和欣赏力。

(2)为学习平面几何做准备。

(3)为幼儿能更好地掌握美术技能做准备。

(4)让幼儿探索图形建构的各种方式，发挥幼儿的想象力和创造力。

(5)拓展幼儿的词汇量，锻炼幼儿的语言表达能力。

工作步骤

1. 介绍工作名称，取长方形盒Ⅰ。

2. 打开盒盖将其置于盒底，拿出盒内三角形散放(图2-51)，提示幼儿将黑线露出来。

3. 找出一模一样的三角形放在一起，按顺序横向摆放在工作毯上。

4. 取出两个三角形摆成一个不封口的图形，分别触摸黑线介绍这是控制线，双手将图形拼成正方形，命名"这是正方形"并将其推放至工作毯左上角。依次拼剩下的图形，每拼完一个图形直接命名，采取三阶段教学。

5. 由前往后按顺序收回，结束。

变化延伸

1. 在生活中寻找并收集四边形。

2. 用美工的方法制作四边形。

3. 为幼儿引入二等分的概念（适于 5 岁以上的幼儿）。

错误控制　三角形上的黑色控制线。

兴趣点　组合成新图形的成就感。

指导用语　三角形、控制线、正方形、平行四边形、长方形、菱形、梯形。

图 2-51

注意事项

1. 教师在进行展示时要注意三角形排列的顺序（正方形、大黄平行四边形、长方形、绿色平行四边形、小黄平行四边形、菱形、梯形）。

2. 教师不要干涉幼儿用三角形进行创意建构。

第二次展示：长方形盒Ⅱ

视频资源

长方形盒Ⅱ

工作前经验　已有长方形盒Ⅰ的操作经验。

操作材料　长方形盒Ⅱ。

工作目的

1. 直接目的：用三角形建构出长方形盒Ⅰ的图形。

2. 间接目的：同本工作第一次展示。

工作步骤

1. 介绍工作名称，取长方形盒Ⅱ。

2. 打开盒盖将其置于盒子底部，拿出盒内三角形散放（图 2-52）。

3. 将相同的三角形整理好横向排列（图 2-53）。

4. 让幼儿用三角形拼学过的图形，每拼完一个直接说出名称（图 2-54）。

5. 拼自己喜欢的图形（图 2-55）。

6. 收回，结束。

变化延伸

1. 在生活中寻找并收集四边形。

2. 用美工的方法制作四边形。

3. 用盒内三角形拼出不同的图形。

图 2-52

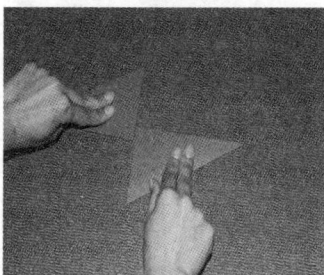

图 2-53

图 2-54

图 2-55

4. 为幼儿引入二等分的概念(适于 5 岁以上的幼儿)。

错误控制 长方形盒 I 建构出来的图形。

兴趣点 创意建构不同图形。

指导用语 三角形、控制线、正方形、平行四边形、长方形、菱形、梯形。

注意事项 此次展示以长方形盒 I 为基础,教师可让幼儿自行探索建构的方法。

第三次展示:三角形盒

工作前经验 幼儿已有几何图形橱的操作经验或年龄在 4 岁以上。

操作材料 三角形盒。

工作目的

1. 直接目的:用三角形建构三角形,并能说出名称。

2. 间接目的:同本工作第一次展示。

工作步骤

1. 介绍工作名称,取三角形盒。

2. 打开盒盖将其置于盒底(图 2-56),取出三角形散放。

3. 找相同三角形整理好横向排列。

4. 拼三角形后,问幼儿"这是什么图形"(也可让幼儿自己拼)。

5. 将三角形分别重叠,每重叠一次问"一样大吗"?

6. 按顺序收回,结束。

视频资源

三角形盒

图 2-56

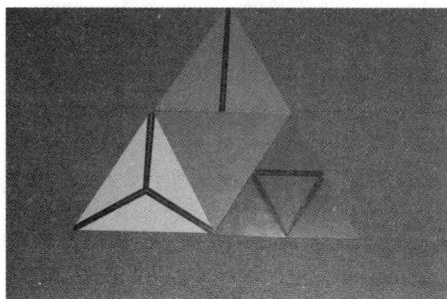

图 2-57

变化延伸

1. 在生活中寻找并收集三角形。

2. 用美工的方法制作三角形。

3. 四个三角形组合成一个大三角形(图 2-57)。

4. 用盒内三角形拼出不同的图形。

5. 为幼儿引入等分的概念(适于 5 岁以上的幼儿)。

错误控制　灰色三角形及三角形上黑色控制线。

兴趣点　三角形的多变性。

指导用语　三角形。

注意事项　教师在进行展示时要注意三角形排列顺序,由二等分三角形到四等分三角形。

🎁 第四次展示:大六边形盒

视频资源

大六边形盒

工作前经验　已有几何图形橱的操作经验或年龄在 4 岁以上。

操作材料　大六边形盒。

工作目的

1. 直接目的:用三角形建构六边形,并能说出名称。

2. 间接目的:同本工作第一次展示。

工作步骤

1. 介绍工作名称,取大六边形盒。

2. 打开盒盖将其置于盒底(图 2-58),取出三角形散放,找出相同的并整理排列好。

3. 拼六边形并命名,问幼儿有几条边,将其推放至左上角;依次拼剩下的图形,每拼完一个直接命名,整理材料。

4. 送回,结束。

图 2-58

变化延伸

1. 在生活中寻找并收集六边形。

2. 用美工的方法制作六边形。

3. 用盒内三角形拼出不同的图形。

4. 为幼儿引入等分的概念(适于 5 岁以上的幼儿)。

错误控制 三角形上黑色的控制线。

兴趣点 三角形的多变性。

指导用语 六边形、三角形、菱形、平行四边形。

注意事项 教师在进行展示时要注意三角形排列的顺序(1 个黄色、3 个黄色底边为控制线的、3 个黄色腰为控制线的、2 个红色、2 个灰色)。

第五次展示：小六边形盒

工作前经验 已有几何图形橱的操作经验或年龄在 4 岁以上。

操作材料 小六边形盒。

工作目的

1. 直接目的：用三角形建构六边形，并能说出名称。

2. 间接目的：同本工作第一次展示。

工作步骤

1. 介绍工作名称，取小六边形盒。

2. 打开盒盖将其置于盒底(图 2-59)，取出盒内三角形散放，找出相同的三角形并排列好(图 2-60)。

图 2-59

图 2-60

3. 拼灰色六边形并直接命名，说出六边形有几条边，将其推放至左上角，拼完三个红色菱形后命名，依次拼剩下的图形直接命名。等量代换：灰色六边形的 1/3 与一个菱形重叠再替换、灰色六边形的 1/2 与梯形重叠再替换、菱形与梯形的 2/3 重叠再替换、灰色六边形与三个菱形重叠比较再替换、红色六边形的 1/2 与黄色三角形重叠再替换、红色六边形的 1/3 与菱形重叠再替换。

4. 送回，结束。

变化延伸

1. 在生活中寻找并收集六边形。

2. 用美工的方法制作六边形。

3. 用盒内三角形拼出不同的图形。

4. 为幼儿引入等分的概念(适于 5 岁以上的幼儿)。

错误控制 三角形上黑色的控制线。

兴趣点 图形间不断重合替换的多变性。

指导用语 六边形、三角形、菱形、平行四边形。

注意事项

1. 教师在进行展示时要注意三角形排列的顺序。

2. 不断重叠、替换的操作过程是为了让幼儿体验和理解不同图形的等分概念,可根据幼儿的掌握情况,合理安排进度。

第六次展示:蓝色三角形盒

工作前经验 已有几何图形橱的操作经验或年龄在 4 岁以上。

操作材料 蓝色三角形盒。

工作目的

1. 直接目的:用三角形盒建构各种图形,并能说出名称。

2. 间接目的:同本工作第一次展示。

工作步骤

1. 介绍工作名称,取蓝色三角形盒。

2. 打开盒盖将其置于盒底(图 2-61),请幼儿用两个三角形拼学过的图形(图 2-62),拼完进行名称练习(如三角形、长方形、正方形等);以此类推,逐渐增加图形数量请幼儿拼摆(如圆形、十二边形等)。

3. 收回,结束。

图 2-61

图 2-62

变化延伸

1. 在生活中寻找并收集各种几何图形。

2. 用美工的方法制作各种几何图形的画面如鱼儿总动员(图 2-63)、美丽的大海(图

2-64）等，并用三角形建构主题画。

图 2-63

图 2-64

3. 用盒内三角形拼出不同的图形。

4. 为幼儿引入等分的概念（适于 5 岁以上的幼儿）。

错误控制　幼儿视觉的辨别力。

兴趣点　三角形的多变性。

指导用语　三角形、正方形、长方形、菱形、梯形、平行四边形、六边形。

注意事项

1. 教师在此次展示中应尽可能发挥幼儿的探索欲和想象力。

2. 教师要尊重幼儿建构的想法和方式，不要强行干涉或更改。

（十）工作名称：几何立体组

教具构成　10 个蓝色木质立体图形，分别是正方体、长方体、圆柱体、三棱锥、四棱锥、三棱柱、圆锥体、球体、椭圆体和卵形体。

视频资源

几何立体组

第一次展示：名称练习

工作前经验　4 岁以上。

操作材料　正方体、长方体、圆柱体，小篮子 1 个。

工作目的

1. 直接目的：能从视觉上辨别几何立体的形状和特征，并能正确说出其名称。

2. 间接目的：

（1）发展实体觉（察觉形状和立体的感觉）。

（2）为学习几何学做准备。

（3）发展秩序感、专注力、协调性和独立性。

工作步骤

1. 介绍工作名称，取正方体、长方体、圆柱体放在小篮子里。

2. 触摸感知正方体，命名为"这是正方体"。请幼儿触摸教室中的实物，依次介绍剩下的两个，方法同上，完成三阶段教学。

3. 送回，结束。

变化延伸

1. 用几何立体组进行建构。

2. 在生活环境中找与立体组形状相同或相近的物体。

3. 用手工制作几何立体组的模型。

错误控制　幼儿视觉和触觉的辨别力。

兴趣点　触摸不同立体图形的不同感受。

指导用语　球体、圆柱体、长方体、正方体、圆锥体、三角柱、三角锥体、四角锥体、卵体、椭圆体。

注意事项　此次展示要根据幼儿的掌握程度，分成 2～4 课时完成，即每课时展示 3 个左右几何立体组。

第二次展示：与投影板的配对

工作前经验　已有几何立体组的操作经验或年龄在 4 岁以上。

操作材料　几何体组，投影板，小篮子 1 个。

工作目的

1. 直接目的：能将几何立体组和其投影板正确地配对。

2. 间接目的：同本工作第一次展示。

工作步骤

1. 介绍工作名称，取几何立体组。

2. 将几何体横向排列，散放投影板，教师将投影板分别与几何体配对放好，用投影板与几何体比较（蓝线藏起来）。

3. 收投影板，收几何立体组，结束。

变化延伸

1. 寻找生活中各种物品的影子。

2. 蒙眼练习。

3. 在美术活动中用几何立体组进行素描（适于 5 岁以上的幼儿）。

错误控制　几何立体组与投影板的一一对应。

兴趣点　投影的形式。

指导用语　球体、圆柱体、长方体、正方体、圆锥体、三角柱、三角锥体、四角锥体、卵体、椭圆体、投影板、影子。

注意事项

1. 在此次展示之前，教师可增加两次准备活动，一是在户外与幼儿玩"踩影子"的游戏，二是用手电筒将几何立体组的影子投射在墙上。

2. 教师要注意球体、卵体、椭圆体影子的投射。

🎁 第三次展示：三步卡

工作前经验 已熟悉几何立体的名称或年龄在 4 岁以上。

操作材料 几何立体组与三步卡。

工作目的

1. 直接目的：扩大幼儿的识字量。

2. 间接目的：

(1)锻炼幼儿视觉观察的敏锐性。

(2)发展幼儿的实体觉(察觉形状和对立体的感知)。

(3)为学习几何做准备。

工作步骤

1. 介绍工作名称，取几何立体组和三步卡。

2. 将几何体竖放在工作毯上直接命名，散放一步卡，用一步卡与几何体配对，带领幼儿指读文字部分；散放二步卡与一步卡配对，散放三步卡与一步卡配对，根据幼儿的掌握情况，指读文字部分。

3. 收回，结束。

变化延伸

1. 为几何体组配文字卡片。

2. 制作不同形式的三步卡，如照片类、素描类、透视图类等。

3. 让幼儿自制三步卡。

4. 让幼儿自制几何立体组小书。

错误控制 三步卡本身的特点。

兴趣点 三步卡的使用。

指导用语 球体、圆柱体、长方体、正方体、圆锥体、三角柱、三角锥体、四角锥体、卵体、椭圆体、三步卡。

注意事项 三步卡的使用可结合幼儿对汉字的兴趣，合理安排时间。

🎁 第四次展示：神秘袋的工作

工作前经验 已有几何立体组的操作经验。

操作材料 几何立体组，神秘袋 1 个。

工作目的

1. 直接目的：锻炼幼儿触觉的敏锐性和分辨力。

2. 间接目的：同本工作第一次展示。

工作步骤

1. 介绍工作名称，将几何立体组放进神秘袋中。

2. 触摸并正确说出几何体的名称，可灵活使用以下三种形式：

（1）教师直接说名称，请幼儿摸出并命名。

（2）教师形容几何体的特征，幼儿根据描述摸出并命名。

（3）幼儿摸一种几何体并对其描述，教师猜是什么。

3. 收回，结束。

变化延伸

1. 可在神秘袋中放入较小的立体模型，让幼儿进行触摸的配对练习。

2. 可由 2 名或 2 名以上的幼儿合作进行。

错误控制　幼儿触觉的分辨力。

兴趣点　触摸的过程。

指导用语　请你摸出球体；请告诉我你摸到的是什么。

注意事项

最开始进行这项展示时，可选择外形反差较大的几何体放入神秘袋内。

（十一）工作名称：二倍体

教具构成　2 块绿色长方体，一大一小；3 块黄色正方体，一大两小；2 块白色长方体，一大一小。

工作前经验　已有几何立体组的操作经验或年龄在 4 岁以上。

操作材料　二倍体。

工作目的

1. 直接目的：能将 7 块几何体搭成一个正方体。

2. 间接目的：

（1）锻炼幼儿视觉对立体的感知。

（2）为学习数学做准备。

（3）发展幼儿的秩序感、专注力、协调性和独立性。

工作步骤

1. 介绍工作名称，取二倍体。

2. 散放，请幼儿由大到小排好。

3. 取出最小的一块几何体并触摸，找出和它一样大的进行比较（比上面、比四周，不用比底面），依次从右向左比较，拼成正方体并命名"这是正方体"。最后，说"我要把它切开"，然后将正方体一一打开，恢复原样排好。

4. 按顺序收回，结束工作。

变化延伸　用二倍体的 7 块木块按照由大至小的顺序水平或垂直排列。

错误控制　二倍体本身的特点。

兴趣点　组合成立体图形的过程。

指导用语　二倍体、最大的。

注意事项 教师不要过多干涉幼儿比较的方法。

（十二）工作名称：三倍体

教具构成 4块绿色长方体，两大两小；5块黄色正方体，两大三小；4块白色长方体，两大两小。

工作前经验 已有二倍体的操作经验或年龄在4岁以上。

操作材料 三倍体。

工作目的

1. 直接目的：能将13块木块搭成一个正方体。

2. 间接目的：

(1)锻炼幼儿视觉对立体的感知。

(2)为幼儿学习数学做准备。

(3)发展幼儿的秩序感、专注力、协调性和独立性。

工作步骤

1. 介绍工作名称，取三倍体。

2. 散放，请幼儿从大到小排序(横向)。

3. 拿出两个黄色正方体进行比较，另一个一样大的直接放在一起不用比较，依次比较其他的几何体；再将其拼成一个正方体，触摸后命名为"这是正方体"，再切开，按顺序归位。

4. 收回，结束。

变化延伸 用三倍体的13块木块按照从大至小的顺序水平或垂直排列。

错误控制 三倍体本身的特点。

兴趣点 组合成立体图形的过程。

指导用语 三倍体、最大的。

注意事项 教师不要过多干涉幼儿比较的方法。

视频资源

二项式

（十三）工作名称：二项式

教具构成

1块红色正方体，代表 a^3；3块红黑相间的长方体，代表 $3a^2b$；

1块蓝色正方体，代表 b^3；3块蓝黑相间的正方体，代表 $3ab^2$。

工作前经验 4岁以上。

操作材料 二项式。

工作目的

1. 直接目的：能按照颜色将8块几何体搭成一个正方体。

2. 间接目的：

(1)锻炼幼儿视觉对立体的感知。

（2）为幼儿学习数学做准备。

（3）发展幼儿的秩序感、专注力、协调性和独立性。

工作步骤

1. 介绍工作名称，取二项式。

2. 打开盒盖及盒身的前面和右面，将盒盖放在打开的盒子的右下方（图2-65），将二项式里面的立体块取出散放（图2-66）。

3. 指出盒盖上的颜色，最大块为红色，从散放的立体块中找到红色放在盒盖上依次按盒盖的颜色和前面一个立体块的侧面颜色找出正确的放在盒盖上。触摸第一层是否平滑，平滑则放回盒内。搭第二层采用同样的方法，先找最大的一块（图2-67），并依次找到放在盒盖上，触摸检查后放回盒内。

4. 拿起盖子与盒子里的颜色进行比较，若是一样的，则盖好盖子（先盖好侧面盒盖，图2-68），结束。

图 2-65

图 2-66

图 2-67

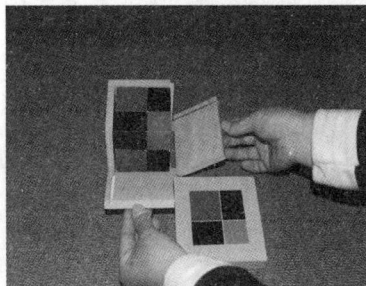

图 2-68

变化延伸

1. 不借助盒盖，将二项式放回盒内。

2. 将二项式在盒外搭成一个正方体。

错误控制　盒盖与盒身上的颜色，木块的颜色和大小。

兴趣点　根据颜色和形状的变化规律排列几何体的过程。

指导用语　二项式、红色的、蓝色的、黑色的。

注意事项　教师不要给幼儿讲解该工作名称的由来。

(十四)工作名称：三项式

教具构成 1 块红色正方体，代表 a^3；3 块红黑相间的长方体(较大)，代表 $3a^2b$；3 块红黑相间的长方体(较小)，代表 $3a^2c$；1 块蓝色正方体，代表 b^3；3 块蓝黑相间长方体(较大)，代表 $3b^2a$；3 块蓝黑相间的长方体(较小)，代表 $3b^2c$；1 块黄色正方体，代表 c^3；3 块黄黑相间的长方体(较大)，代表 $3c^2a$；3 块黄黑相间的长方体(较小)，代表 $3c^2b$；6 块黑色长方体，代表 $6abc$。

工作前经验 已有二项式操作经验或年龄在 4.5 岁以上。

操作材料 三项式。

工作目的

1. 直接目的：能按照颜色将 27 块木块搭成一个正方体。

2. 间接目的：

(1)锻炼幼儿视觉对立体的感知。

(2)为幼儿学习数学做准备。

(3)发展幼儿的秩序感、专注力、协调性和独立性。

工作步骤

1. 介绍工作名称，取三项式。

2. 打开盒盖及盒身的前面和右面，将盒盖放在打开的盒子的右下方(图 2-69)，取出里面的立体块散放。

3. 指出盒盖上最大的一块，说出颜色，并从散放的立体块中找出放在盒盖上。依次找出第一层的几何体，触摸检查，若平滑放进盒内。用同样的方法找出第二层和第三层的几何体。

4. 拿起盖子与盒子里的颜色进行比较，若是一样的，盖上盖子，结束。

变化延伸

1. 不借助盒盖将三项式放回盒内。

2. 将三项式在盒外搭成一个正方体。

错误控制 盒盖与盒身上的颜色，木块的颜色和大小。

兴趣点 立体块不同组合的神奇变化。

指导用语 三项式、红色的、蓝色的、黄色的、黑色的。

图 2-69

注意事项 三项式的难度较大，如幼儿难以理解，可创设故事情境解释立体块的特征，如颜色王国的比赛等。

二、感官领域触觉教具操作活动

蒙台梭利曾说：我教导孩子如何触摸，也就是教导他触摸表面的方法，为此，我有必要轻轻捏住孩子的手指，带着他贴在表面上非常轻地滑过去……这些技巧的另一特点是，告诉孩子要闭眼睛触摸。为了鼓励他这么做，我们可以告诉他，这样才更能感觉其间的差异，引导他在不使用眼睛的情况下，分辨不同的接触面。

（一）工作名称：砂纸触觉板

教具构成　底板是原木色长方形，其上右侧有一块正方形的砂纸；底板是原木色长方形，上有一块由5条同样颗粒的细长条组成的砂纸；底板是原木色长方形，上有一块由5条从最细颗粒到最粗颗粒的细长条组成的砂纸。配对板：底板是原木色正方形，砂纸的粗糙程度两两相同，共10块。

第一次展示：名称练习

工作前经验　3.5岁以上。

操作材料　砂纸触觉板中的第一和第二块板。

工作目的

1. 直接目的：通过触觉感知并认识物体表面粗糙与光滑的质感。

2. 间接目的：

（1）锻炼幼儿触觉的敏锐性和分辨力。

（2）为书写做准备。

（3）能区分生活中常见物品的质感。

工作步骤

1. 介绍工作名称，取砂纸触觉板第一块和第二块。

2. 拿出第一块触觉板，右手掌触摸光滑的地方，命名"这是光滑的"，请幼儿通过触觉去摸摸哪里的感觉是光滑的；再触摸粗糙的地方，命名这是"粗糙的"，完成三阶段教学。

3. 拿起长条的另一块板先从光滑处开始摸，依次说出"光滑的""粗糙的"。

4. 收回，结束。

变化延伸

1. 配文字卡片"粗糙的""光滑的"。

2. 在生活中寻找表面"粗糙的"与"光滑的"物体。

错误控制　幼儿触觉的分辨力。

兴趣点　不断变化的触感。

指导用语　砂纸触觉板、粗糙的、光滑的。

注意事项

1. 教师在进行触觉工作展示时一定要与幼儿互动，共同感受。

2. 为使触觉变得更灵敏，可在开始工作前将手指浸泡在温开水中 5 ~ 10 秒。

第二次展示：粗糙的等级变化

工作前经验 已有砂纸触觉板的操作经验或年龄在 3.5 岁以上。

操作材料 砂纸触觉板的第三块板——粗糙等级变化板。

工作目的

1. 直接目的：通过触觉感受并认识物体表面不同的粗糙程度变化。

2. 间接目的：同本工作第一次展示。

工作步骤

1. 介绍工作名称，取第三块砂纸触觉板。

2. 请幼儿从光滑的地方依次触摸命名，"光滑的、有点粗糙的、比较粗糙的、粗糙的、很粗糙的、最粗糙的"。如果粗糙程度差异不大，不容易发现区别，则可先辨别差异较大的两三条。另外，可以请幼儿寻找教室中粗糙程度差异较大的表面，说出感觉。

3. 结束。

变化延伸

1. 配相应的文字卡。

2. 在生活中寻找不同粗糙程度的物体。

3. 幼儿用米粒或沙子自制砂纸触觉板。

错误控制 幼儿触觉的分辨力。

兴趣点 不同的触感。

指导用语 光滑的、有点粗糙的、比较粗糙的、粗糙的、很粗糙的、最粗糙的。

注意事项

1. 教师在进行触觉工作展示时一定要与幼儿互动，共同感受。

2. 教师展示时注意要从"光滑的"一条开始。

3. 此次展示的名称比较多且比较相近，教师要注意观察幼儿的理解和接受程度。

4. 为使触觉变得更灵敏，可在开始工作前将手指浸泡在温开水中 5 ~ 10 秒。

第三次展示：粗糙等级变化的配对板

工作前经验 已有粗糙等级变化的操作经验或年龄在 3.5 岁以上。

操作材料 粗糙等级变化的配对板、眼罩 1 个。

工作目的

1. 直接目的：通过触觉将砂纸板按照粗糙程度进行正确配对。

2. 间接目的：同本工作第一次展示。

工作步骤

1. 介绍工作名称，取粗糙等级变化的配对板。

2. 散放，请幼儿戴上眼罩。

3. 通过触摸将触觉板配对。

4. 摘下眼罩，检查（教师可在背面做好订正），根据幼儿能力可将配对后的触觉板排序。

5. 收教具，结束。

变化延伸　将生活中相同粗糙程度的物体配对。

错误控制　幼儿触觉的分辨力及教师在每块板背面自制的错误控制点。

兴趣点　蒙眼配对的过程。

指导用语　请你摸一摸，找到和它一样的砂纸板。

注意事项

1. 教师在进行触觉工作展示时一定要与幼儿互动，共同感受。

2. 幼儿在最开始接触时，可只使用两三对砂纸触觉板进行配对练习。

3. 为使触觉变得更灵敏，可在开始工作前将手指浸泡在温开水中 5~10 秒。

（二）工作名称：布盒

教具构成　长方形棉质布 2 片、长方形丝质布 2 片、长方形绒质布 2 片、长方形帆布 2 片、长方形皮革 2 片、长方形麻质布 2 片。

工作前经验　3.5 岁以上。

操作材料　布盒、眼罩 1 个。

工作目的

1. 直接目的：通过触觉的感知能将布按照质地进行正确的配对。

2. 间接目的：

（1）锻炼幼儿触觉的敏锐性和分辨力。

（2）为书写做准备。

（3）能区分生活中常见布料或衣物的质地。

（4）发展幼儿的秩序感、专注力、协调性和独立性。

工作步骤

1. 介绍工作名称，取布盒和眼罩。

2. 散放，请幼儿戴眼罩配对。

3. 挑出两种差异较大的做介绍：布的名称，什么时候穿，有什么特点。

4. 收回，结束。

变化延伸

1. 为布料配文字卡。

2. 让幼儿在生活中找与布盒中布料一致的布。

3. 缩小布料在质地上的差异,增加练习难度。

错误控制 幼儿触觉的辨别力。

兴趣点 不同的触感。

指导用语 布盒;请你摸一摸。

注意事项 教师在进行触觉工作展示时要与幼儿互动,共同感受。

(三)工作名称:重量板

教具构成 10 片原木色长方形 12 克、10 片原木色长方形 18 克、10 片原木色长方形 24 克。

工作前经验 3.5 岁以上。

操作材料 重量板。

工作目的

1. 直接目的:感知物体的重量。

2. 间接目的:

(1)发展幼儿对于压觉的分辨力。

(2)能不受物体形状大小的影响正确地分辨出物体的轻重。

(3)发展幼儿的秩序感、专注力、协调性和独立性。

工作步骤

1. 介绍工作名称,取重量板。

2. 散放,请幼儿戴眼罩,摊开手掌,教师将重量板放于幼儿手掌上,请幼儿感知轻重(可两只手不断交换感知)。

3. 能正确辨别后,缩减块数,也能正确辨别后结束工作。

变化延伸

1. 蒙眼练习。

2. 让幼儿感受生活中常见物品的重量。

3. 认识表示重量的单位(适于 5.5 岁以上的幼儿)。

错误控制 重量板上不同的木色,幼儿压觉的分辨力。

兴趣点 感知与分辨轻重的过程。

指导用语 重量板、轻的、重的。

注意事项 教师在进行触觉工作展示时一定要与幼儿互动,并共同感受。

(四)工作名称:温觉板

教具构成 原木色长方形木片 2 片、红色长方形毛毡 2 片、黑色长方形大理石 2 片、银色长方形不锈钢 2 片。

工作前经验 3.5 岁以上。

操作材料 温觉板。

工作目的

1. 直接目的：感受物体不同的温度，并能正确地配对。

2. 间接目的：

(1)发展幼儿对于温觉的分辨力。

(2)发展幼儿的秩序感、专注力、协调性和独立性。

工作步骤

1. 介绍工作名称，取温觉板。

2. 散放，请幼儿蒙眼配对。

3. 摘下眼罩，取两组差异最大的温觉板，进行三阶段教学，感受"凉的、暖的"，从教室中寻找相同温觉的材料。

4. 收回，结束。

变化延伸

1. 让幼儿感受生活中常见物品的温度。

2. 让幼儿在不同的季节或一天中不同的时间段中感受同一物体不同的温度。

3. 让幼儿感知不同温度的水(注意安全，防止烫伤)。

错误控制 温觉板本身的特点。

兴趣点 不同温觉的变化。

指导用语 温觉板、凉的、暖的。

注意事项 教师在进行触觉工作展示时一定要与幼儿互动，共同感受。

三、感官领域听觉教具操作活动

蒙台梭利曾说：在肃静的环境中，儿童体验噪声与声音的不同，进而对悦耳的声音产生认同，这便是培养欣赏和谐之美的开始。

工作名称：听筒

教具构成 12 个木质圆柱体(中空)，原木色盒身，其中 6 个红色盒盖、6 个绿色盒盖。

工作前经验 3.5 岁以上。

操作材料 听筒。

工作目的

1. 直接目的：区分声音的强弱变化，将声音进行配对。

2. 间接目的：

(1)让幼儿体会听觉器官的存在及其作用。

(2)发展幼儿听觉的敏锐性。

（3）为幼儿分辨生活中不同的声音做准备。

（4）发展幼儿的秩序感、专注力、协调性和独立性。

工作步骤

1. 介绍工作名称，取听筒。

2. 拿起第一个红色听筒在耳旁轻轻摇晃，依次听绿色组听筒，找到和刚才红色听筒一样的声音后，放在工作毯上，和红色听筒配对。

3. 依次将剩下的配对排好，检查。

4. 收回（红色有序放，绿色无序放），结束。

变化延伸

1. 变换听筒内的物品，使其发出不同的声音。

2. 缩小声音之间的差异，增加难度。

3. 在生活中寻找各种各样的声音，如动物的叫声等。

4. 进行静寂游戏。

5. 欣赏音乐。

6. 进行各种听力游戏。

错误控制　听筒底部所贴的错误控制点。

兴趣点　听和辨别的过程。

指导用语　听觉筒、声音、大、小。

注意事项

1. 教师初次为幼儿展示时，为减少幼儿辨别的难度，可只选择 3 对听觉筒，逐渐增加。

2. 晃动听觉筒时尽量靠近耳朵。

四、感官领域嗅觉教具操作活动

蒙台梭利曾说：在三餐中去练习味觉和嗅觉，这是训练这两种感觉的最自然时机。

工作名称：嗅觉瓶

教具构成　12 个木质圆柱体（中空），原木色盒身，棕色盒盖。

工作前经验　3.5 岁以上。

操作材料　嗅觉瓶。

工作目的

1. 直接目的：感受不同的气味，并将瓶内的气味进行正确的配对。

2. 间接目的：

（1）让幼儿感受嗅觉器官的存在及其作用。

（2）发展幼儿嗅觉的敏锐性。

（3）为幼儿分辨生活中不同的气味做准备。

（4）发展幼儿的秩序感、专注力、协调性和独立性。

工作步骤

1. 介绍工作名称，取嗅觉瓶。

2. 散放，打开第一个瓶子放在幼儿鼻前，让其轻轻挥动手掌，"这是什么味道?""酸的。""甜的。"通过嗅觉从剩下的瓶子里面找到相同味道的配对，依次将剩下的瓶子配对。

3. 收回，结束。

变化延伸

1. 在生活中寻找各种各样的气味。

2. 为嗅觉瓶内的气味配文字卡或图片。

错误控制　教师在嗅觉瓶底部贴的错误控制点。

兴趣点　不同味道的新鲜感。

指导用语　嗅觉瓶。

注意事项

1. 嗅觉瓶是木质的会吸收气味，教师一旦将某种味道的香精投放在瓶内就不要投放其他味道的香精了。

2. 教师要选择生活中常能闻到的气味，如水果的气味等。

五、感官领域味觉教具操作活动

蒙台梭利曾说：去品尝酸甜苦咸四种味道，这是舌头所能感觉的主要四种味道。

工作名称：味觉瓶

教具构成　8 个棕色玻璃滴瓶。

工作前经验　3 岁以上。

操作材料　味觉瓶(2 瓶白水、2 瓶盐水、2 瓶糖水、2 瓶白醋)，装净水的水杯 2 个、装脏水的空杯子 1 个，小勺 1 个。

工作目的

1. 直接目的：感受不同的味道，并将瓶内的味道进行正确的配对。

2. 间接目的：

（1）让幼儿体会味觉器官的存在及其作用。

（2）发展幼儿味觉的敏锐性。

（3）为幼儿分辨生活中不同的味道做准备。

（4）发展幼儿的秩序感、专注力、协调性和独立性。

工作步骤

1. 介绍工作名称，取味觉瓶。

2. 教师请幼儿张嘴，滴一滴到幼儿嘴里，品尝味道，命名"甜的(咸的、酸的)"。漱口，再尝剩下的，直到配对完成。

3. 收回，消毒。

变化延伸

1. 变换味觉瓶内的物品，让幼儿品尝不同的味道。

2. 在瓶内放入浓度不同的糖水，让幼儿感受甜度不同的糖水。

3. 在生活中寻找各种各样的味道。

4. 为味觉瓶中的味道配文字卡片。

错误控制　教师在味觉瓶底部贴的错误控制点。

兴趣点　品尝的过程。

指导用语　味觉瓶、甜的、酸的、咸的。

注意事项　注意卫生及安全问题。

实训经验分享

蒙台梭利半日活动的设计、组织与实施（以一个蒙班第三学期的活动为例）

实训目标

1. 掌握蒙氏半日活动流程。

2. 能设计、组织、实施半日活动。

3. 有喜欢开展蒙氏活动的情感。

实训准备

工作教具、自制教具、走线用品。

实训步骤

1. 走线活动（图 2-70）：播放轻音乐，进行动作走线、模仿走线、持物走线，时间 10 分钟左右。一位同学模拟主班老师在前面带领幼儿走线，线外配班老师维持秩序。

2. 静寂游戏（图 2-71）：不出声的游戏，"我怎样做你就怎样做"，时间 3 ~ 5 分钟，教师做不出声的手指游戏，幼儿模仿。

3. 教师展示（图 2-72）：如数棒的工作，包括基本操作展示和延伸变化练习（延伸变化练习教具是小组自制教具和自己设计的纸张作业单）。

4. 幼儿操作（图 2-73）：幼儿自选工作，教师观察指导。

图 2-70　　　　　　　　　　　　　图 2-71

图 2-72

图 2-73

实践案例诊断

扫描二维码观看岗位工作实录视频"感官领域：棕色梯与形式卡的配对"，并思考和回答以下问题。

1. 根据视频中棕色梯的形式卡样式及用法，明确如何在以后的工作中自制形式卡？

2. 视频中教师是如何引导幼儿参与的？

3. 评价视频中教师示范操作的步骤是否符合蒙台梭利教师示范教具的要求？为什么？

视频资源

棕色梯与形式卡的配对

项目三　蒙台梭利数学领域工作

工作导图

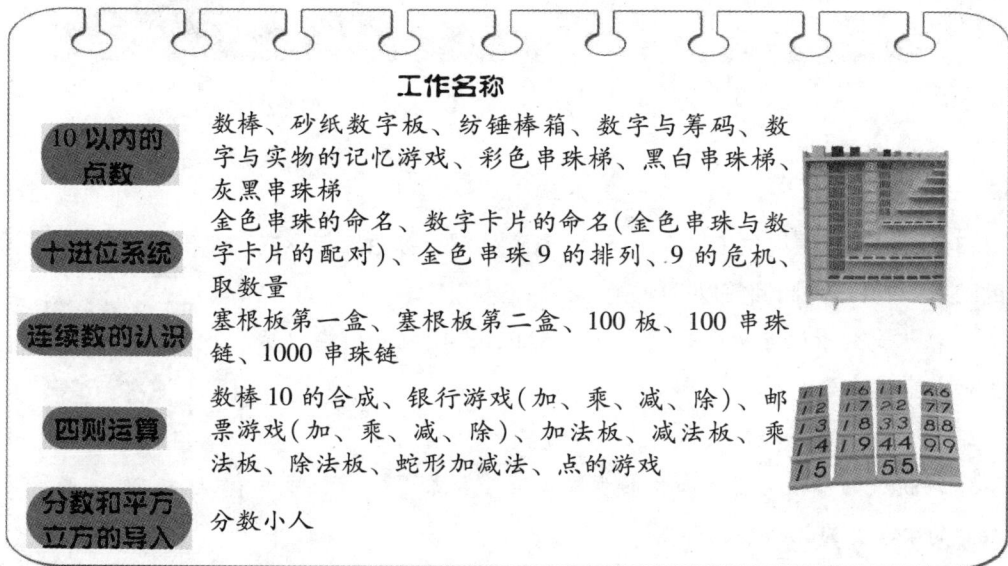

	工作名称
10以内的点数	数棒、砂纸数字板、纺锤棒箱、数字与筹码、数字与实物的记忆游戏、彩色串珠梯、黑白串珠梯、灰黑串珠梯
十进位系统	金色串珠的命名、数字卡片的命名(金色串珠与数字卡片的配对)、金色串珠9的排列、9的危机、取数量
连续数的认识	塞根板第一盒、塞根板第二盒、100板、100串珠链、1000串珠链
四则运算	数棒10的合成、银行游戏(加、乘、减、除)、邮票游戏(加、乘、减、除)、加法板、减法板、乘法板、除法板、蛇形加减法、点的游戏
分数和平方立方的导入	分数小人

一、数学领域"10以内的点数"教具操作活动

蒙台梭利曾说：数概念是非自然所赋予的，也非教师所教授的，而是由幼儿在操作教具的过程中获得的。

(一)工作名称：数棒

教具构成　10根木质长棒，长度以10厘米为单位由10厘米等量增至100厘米，每根木棒红蓝颜色相间。

第一次展示：名称练习

工作前经验　已有红棒操作经验或年龄在3.5岁以上。

操作材料　数棒、2块工作毯。

工作目的

1. 直接目的：通过视觉和触觉感受1~10数棒的长短变化。

2. 间接目的：

(1)让幼儿形成数序的概念。

视频资源

数棒的
名称练习

（2）为幼儿学习十进位法做准备。

（3）数量概念的导入。

工作步骤

1. 介绍工作名称，取来数棒散放（取的方法同红棒）。

2. 请幼儿比较排序（红色头放在最左面）。

3. 取出数棒1、2、3，横向排列在工作毯中间（图3-1），进行三阶段教学：

（1）命名：触摸数棒"1"，完整感知（图3-2），放下，"1，这是1"，数棒2从红色部分开始点数；"1、2，这是2"，请幼儿来感知，同样的方法介绍数棒3。

（2）辨别："请你指哪一个是'1'"，或"请把'1'拿给我"，又或"请把'1'藏起来"，用同样的方法辨别数棒2和数棒3。

（3）发音：指"1"问："请你来数一数，这是几"，同样的方法操作数棒2和数棒3。

4. 将数棒归队，结束工作。

变化延伸

1. 用同样的方法介绍数棒4~10，根据幼儿学习的情况，安排每次学习的数量，以3~5个为宜，每次学习新的数之前都要复习前面的，从1开始。

图3-1

图3-2

2. 1~10数棒的正数和倒数。

错误控制　数棒的颜色及本身的序列。

兴趣点　准确为数棒命名的成就感。

指导用语　数棒；这是1；请你指一下1；请你把1递给我；请你数一数，这是几？

注意事项

1. 数棒的排列从红色一端开始。

2. 工作毯要比数棒10长。

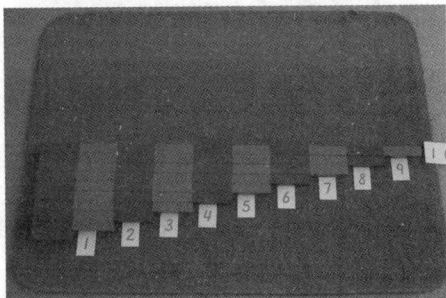

🎁 **第二次展示：与数字卡片配对**

工作前经验　3.5岁以上。

操作材料　数棒，1~10的数字卡片。

图3-3

工作目的

1. 直接目的：能将具体的量与抽象的数字配对（图3-3）。

2. 间接目的：

（1）训练幼儿视觉对物体尺寸的辨别力。

（2）为数的组合与分解做铺垫。

（3）训练幼儿从左至右的方向感。

（4）为学习数学中的一一对应关系做铺垫。

（5）发展幼儿的秩序感、专注力、协调性和独立性。

工作步骤

1. 介绍工作名称，数棒散放。

2. 将数棒由长到短依次排列，取数棒1、2、3，横向排列在工作毯上，请幼儿直接发音。分别出示对应的数字卡片，放在数棒的右边，并进行数卡的三阶段教学。

3. 数棒归队，收数字卡片，结束。

变化延伸

1. 用同样的方法进行数卡4~10与数棒的配对和相应数字的认识。

2. 数棒有序，数字卡片无序。

3. 数棒无序，数字卡片有序。

4. 数棒无序，数字卡片无序。

错误控制　数棒本身的序列。

兴趣点　数棒与数字卡片一一对应的成就感。

指导用语　所涉及的数名。

注意事项　此次展示在幼儿熟练操作砂纸数字板之后进行。

第三次展示：数棒10的合成

工作前经验　4.5岁以上。

操作材料　数棒、2张工作毯、1~10的数字卡片。

工作目的

1. 直接目的：初步感受量的合成概念。

2. 间接目的：

（1）促进幼儿数学心智的发展。

（2）为幼儿学习四则运算做准备。

工作步骤

1. 介绍工作名称，散放数棒。

2. 请幼儿按顺序将数棒排列好。取出10的数棒，问幼儿"这是几"，取出数卡10放在数棒旁；取数棒 1 放在 10 的下方，左端对齐，问"它是几"，取数卡 1 放在数棒旁；"1 和几合起来是 10，我们来数一数"，右手触摸计数"1、2、3……9"，取数棒 9 放在 1 的旁边，数卡 9 放数棒旁，观察"是一样长的"；将数棒 1 和 9 放在另外一张工作毯上，依次合成数棒 2 和 8、3 和 7、4 和 6、5 和 5。

3. 将数棒 10 放在最上端，念读"1 和 9 合起来是 10……5 和 5 合起来是 10"（图 3-4）。

4. 收回，结束。

变化延伸

1. 数棒 9、8、7 等的合成。

2. 可加入" + "" = "符号进行展示。

3. 可配纸张工作。

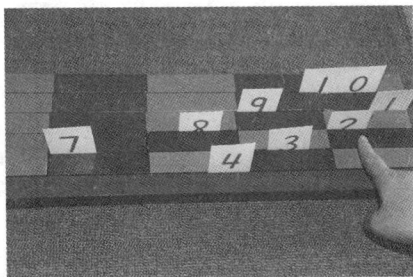

图 3-4

错误控制　补差排列完成后的长度。

兴趣点　补差的过程。

指导用语　1 和几合起来是 10；2 和几合起来是 10；……是一样长的。

注意事项　引入" + "" – "" = "符号时，要先用具体形象的方法解释这些符号的意思。

第四次展示：数棒 10 的分解

工作前经验　4.5 岁以上。

操作材料　数棒、2 张工作毯、1～10 的数字卡片。

工作目的

1. 直接目的：初步感受量的分解概念。

2. 间接目的：同本工作第三次展示。

工作步骤

1. 介绍工作名称，散放数棒。

2. 请幼儿按顺序将数棒 10 的合成排列好，数卡摆放好，从左往右触摸数棒 9 和 1，然后在数棒 1 移开的同时说"10 拿走 1 是几"。依次进行"10 拿走 2 是几"……拿走的数棒和数卡依次排列在工作毯的右下角（图 3-5）。

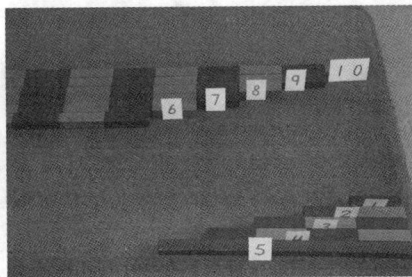

图 3-5

3. 收回，结束。

变化延伸

1. 数棒 9、8、7 等的分解。

2. 可加入" – "" = "符号进行展示。

3. 可配纸张工作。

错误控制　幼儿的视觉。

兴趣点　分解的过程。

指导用语　1 和几合起来是 10；2 和几合起来是 10；……是一样长的。

注意事项

引入"＋""－""＝"符号时，要先用具体形象的方法解释这些符号的意思。

（二）工作名称：砂纸数字板

教具构成　10 块绿色长方形木板，上有砂纸数字。

第一次展示：名称练习

工作前经验　已简单接触过数棒名称练习或年龄在 3.5 岁以上。

操作材料　1～9 的盒装砂纸数字板。

工作目的

1. 直接目的：认识 0～9 的数字，了解书写笔顺。

2. 间接目的：

（1）锻炼幼儿小肌肉动觉的灵敏性和精准性。

（2）为书写做准备。

（3）发展幼儿的秩序感、专注力、协调性和独立性。

工作步骤

1. 介绍工作名称，取教具。

2. 拿出 1、2、3 三个数字的砂纸数字板反扣在工作毯上（图3-6），盒子置右下角。打开 1，教师用右手食指、中指按书写数字的笔顺指画两遍 1（图3-7），"1，1 这是 1，你来感受一下"，请幼儿边指画边说数名，依次介绍剩下的 2 和 3，方法同 1。

3. 收教具，结束。

图 3-6

图 3-7

变化延伸

1. 用同样的方法介绍剩下的数字，每次都要先复习前面的，从 1 开始。

2. 准备沙箱等，在上面练习写数字。

3. 蘸水在黑板上写数字。

4. 拓印硬币。

5. 临摹数帖。

6. 美工活动：打扮我的数字宝宝。

7. 用谷物等粘贴数字。

错误控制　粗糙的砂纸。

兴趣点　用手指画的过程。

指导用语　这是 1，你来感受一下。

注意事项　0 的学习要在纺锤棒与纺锤棒箱的工作完成后再进行。

第二次展示：长条砂纸数字板与盒装砂纸数字板的配对

工作前经验　已有砂纸数字板操作经验。

操作材料　长条砂纸数字板、盒装砂纸数字板。

工作目的

1. 直接目的：巩固 0 ~ 9 的数字顺序及书写。

2. 间接目的：

(1) 锻炼幼儿小肌肉动作的灵敏性和精准性。

(2) 为书写做准备。

(3) 发展幼儿的秩序感、专注力、协调性和独立性。

工作步骤

1. 介绍工作名称，取教具。

2. 散放盒装砂纸数字板 (图 3-8)。

3. 指画长条砂纸数字板 0，在散放的小板中找到 0 直接发音配对，依次将后面的配好对后 (图 3-9)，观察，收回。

4. 结束。

图 3-8

图 3-9

变化延伸　砂纸数字板也可有序摆放。

错误控制　幼儿的记忆。

兴趣点　配对的过程。

指导用语　找到与它一样的。

注意事项　长条砂纸数字板可贴在墙上或桌子上，幼儿可随时描画。

（三）工作名称：纺锤棒与纺锤棒箱

视频资源

纺锤棒与
纺锤棒箱

教具构成　3 个木质长方体箱体，其中两个箱子中间有隔断；45 根木质纺锤棒，是两头细中间粗的纺锤形状。

工作前经验　已有数棒操作经验或年龄在 3.5 岁以上。

操作材料　纺锤棒与纺锤棒箱。

工作目的

1. 直接目的：让幼儿认识 0 的发音及概念。

2. 间接目的：

（1）促进幼儿发展数学心智。

（2）培养幼儿的秩序感和专注力。

（3）为幼儿渗透子集和集合的概念。

（4）学习数字的自然排列顺序。

工作步骤

1. 介绍工作名称，取教具。

2. 用纸板将 0 挡住，让幼儿观察木箱上的数字（图 3-10），指读 1，点数 1 根纺锤棒放在右手中抓握，放进箱中（图 3-11）。教师示范到 4，请幼儿点数数字 5 ~ 9，"盒子里还有纺锤棒吗？哪一个箱和它一样？什么也没有就是 0。"把纸板拿走露出 0（图 3-12），"这是 0，表示什么也没有。"

3. 从前往后依次取出纺锤棒，送回，结束。

图 3-10

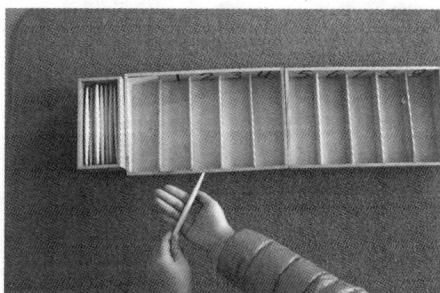

图 3-11

变化延伸　可改变纺锤棒和纺锤棒箱的形式。

错误控制　纺锤棒的数量。

兴趣点　点数纺锤棒的过程。

指导用语　纺锤棒；纺锤棒箱；0 ~ 9 的数字；0 就是什么都没有。

注意事项

1. 教师点数纺锤棒时一定要读出声音。

2. 纺锤棒共45根，如果丢失要及时补充。

3. 展示尽量一对一进行。

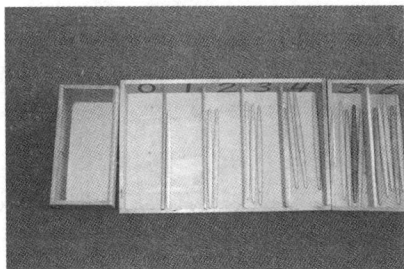

图 3-12

（四）工作名称：数字与筹码

教具构成 0～10 的 11 个塑料红色数字，55 片红色圆形木质筹码。

工作前经验 已有纺锤棒箱操作经验或年龄在 3.5 岁以上。

操作材料 数字与筹码。

视频资源

数字与筹码

工作目的

1. 直接目的：练习点数。

2. 间接目的：

（1）促进幼儿数学心智的发展。

（2）为学习奇数和偶数做准备。

工作步骤

1. 介绍工作名称，取教具。

2. 取数字，散放，请幼儿排序（图3-13）。

3. 指读0，表示什么都没有，不用取筹码；指读数字1，点数筹码1，放在数字1的下方；指读数字2，点数筹码1、2，并排放在数字2的下方；指读数字3，点数筹码1、2、3，两个并排放，剩下一个筹码放在第一行左侧筹码的下方；依次进行，教师展示1～5，幼儿操作6～10（图3-14、图3-15）。

4. 观察筹码，"哪个数字下方的筹码都有朋友，哪个数字下方的筹码有一枚没有朋友"，将有一枚没有朋友的筹码推放上方，这个数为奇数，剩下的为偶数（图3-16）。

5. 收数字，收筹码，结束。

图 3-13

图 3-14

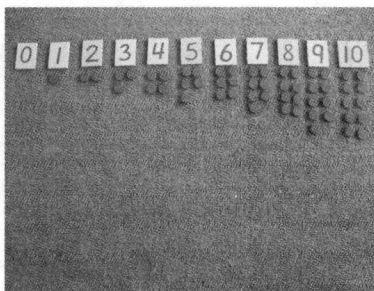

图 3-15

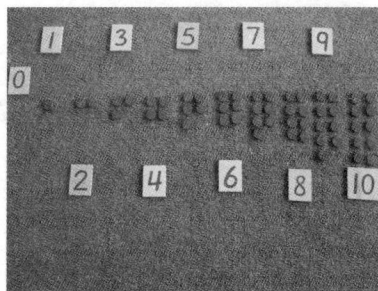

图 3-16

变化延伸

1. 可结合形式卡排列。

2. 可配奇数和偶数字卡。

3. 可在手工活动中进行粘贴数字与筹码。

错误控制　筹码的数量。

兴趣点　点数排列的过程。

指导用语　1~10 的数名；哪个数字下方的筹码都有朋友，哪个数字下方的筹码有一枚没有朋友；奇数、偶数。

注意事项　如果数字里面加 0，则第一次展示时要结合形式卡进行。

（五）工作名称：数字与实物的对应游戏

工作前经验　已比较熟悉数量点数或年龄在 3.5 岁以上。

操作材料　教师自制数字卡。

工作目的

1. 直接目的：练习数和量的对应。

2. 间接目的：

（1）促进幼儿数学心智的发展。

（2）培养幼儿的秩序感和专注力。

（3）为幼儿学习数量概念做准备。

（4）为幼儿学习量的等值概念做准备。

工作步骤

1. 11 名幼儿围圈而坐，每名幼儿拿一张数字卡，扣放。

2. 打开数字卡，观察、记忆，再扣放，根据所选数字卡的数字点数小熊钥匙链。

3. 检验：打开数字卡片，检查数与量是否一一对应，请幼儿猜"没有拿钥匙链的小朋友取的数字卡是几?""是 0。"

4. 收数字卡，收钥匙链。

变化延伸　生活中幼儿感兴趣的小物品都可以用来做这个练习。

错误控制　物品数量一定是 55 个。

兴趣点 点数的过程。

指导用语 请你点数你的钥匙链数量。

注意事项

1. 在记忆游戏之前可先进行对应游戏，没有扣放数字卡环节。

2. 在对应游戏时可穿插 0 的游戏。

（六）工作名称：彩色串珠梯①

视频资源

彩色串珠梯

教具构成 9 串塑料圆形珠粒，1 是红色，2 是绿色，3 是粉色，4 是橙色，5 是浅蓝色，6 是紫色，7 是白色，8 是棕色，9 是深蓝色。

工作前经验 已有数量点数工作经验或年龄在 3.5 岁以上。

操作材料 彩色串珠梯 1 套、小碟 1 个、数珠板（小桥）1 个、棉布 1 块（40 厘米×40 厘米），托盘 1 个。

工作目的

1. 直接目的：练习点数，巩固数与量的对应。

2. 间接目的：

（1）为幼儿学习数量概念做准备。

（2）为幼儿学习量的等值概念做准备。

（3）为幼儿学习加减混合计算和数的平方（立方）做间接准备。

工作步骤

1. 介绍工作名称，取教具，将彩珠散放，注意拿串珠时要捏住边缘。

2. 将彩珠从 1~9 排好，介绍"小桥"，"它是用来数珠的"，分别取 1、2、3 个珠粒放工作毯上（图3-17）。捏住彩珠边缘拿小桥从左至右切数彩珠，"1，这是 1，它是红色的"。请幼儿来切数（图 3-18），以同样的方法依次介绍剩下的，完整进行三阶段教学。

3. 收回，结束。

变化延伸

1. 随机切数彩色串珠梯。

2. 为彩色串珠梯配自制数字卡片。

图 3-17

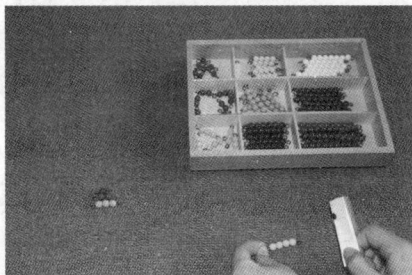

图 3-18

---

① 在以下工作介绍中，有时将彩色串珠梯简称为彩串，将彩色串珠简称为彩珠。

3. 为彩色串珠梯配纸张工作单。

错误控制 彩色串珠梯本身的数量和序列。

兴趣点 串珠梯的形式。

指导用语 彩色串珠梯所代表的 1~9 的数字及其颜色。

注意事项

1. 彩色串珠梯可以摆成直角三角形或者等腰三角形的形状。

2. 取放彩色串珠时要捏住珠耳。

3. 彩色串珠梯要放在棉布上，用小桥切数。

4. 彩色串珠梯的数字卡片要与对应的彩珠的颜色一致。

5. 彩色串珠梯中不包括 10。

(七)工作名称：黑白串珠梯

教具构成 9 串塑料圆形珠粒，1~5 是黑色；6~9 的串珠左侧 5 粒是黑色，其余是白色。

工作前经验 已有彩色串珠梯操作经验或年龄在 3.5 岁以上。

操作材料

彩色串珠梯 1 套、黑白串珠梯 1 套、小碟 1 个、数珠板 1 个、棉布 1 块(40 厘米×40 厘米)、托盘 1 个。

工作目的

1. 直接目的：练习点数，巩固数与量的对应。

2. 间接目的：同"彩色串珠梯"。

工作步骤

1. 介绍工作名称，取彩色串珠和黑白串珠各自散放，重新排好。

2. 将串珠摆好，取红色串珠 1 放下方，黑色串珠 1 放其右侧，指红色串珠 1 问"这是几，你用小桥数数"，指黑珠方法同此。将黑珠放彩珠下面问"一样多吗"，比较后放回上方，依次继续进行，在白珠出现时重点介绍。

3. 分别收回，结束。

变化延伸

1. 随机切数黑白串珠梯。

2. 为黑白串珠梯配自制数字卡片。

3. 为黑白串珠梯配纸张工作单。

错误控制 黑白串珠梯本身的数量和序列。

兴趣点 黑白珠的形式。

指导用语 黑白串珠梯所代表的 1~9 的数字。

注意事项

1. 黑白串珠梯可以摆放成直角三角形或等腰三角形的形状，摆放时要黑色在左、白色在右。

2. 取放黑白串珠时要捏住珠耳。

3. 黑白串珠梯要放在棉布上，用小桥切数。

（八）工作名称：灰黑串珠梯

教具构成 9 串圆形珠粒，1～5 是灰色；6～9 的串珠左侧 5 粒是灰色，其余是黑色。

工作前经验 已有彩色串珠梯操作经验或年龄在 3.5 岁以上。

操作材料 彩色串珠梯 1 套、灰黑串珠梯 1 套、小碟 1 个、数珠板 1 个、棉布 1 块（40 厘米×40 厘米）、托盘 1 个。

工作目的 同"黑白串珠梯"。

工作步骤 同"黑白串珠梯"的操作，将其中"黑白串珠梯"替换为"灰黑串珠梯"。

变化延伸

1. 随机切数灰黑串珠梯。

2. 为灰黑串珠梯配自制数字卡片。

3. 为灰黑串珠梯配纸张工作单。

错误控制 灰黑串珠梯本身的数量和序列。

兴趣点 灰黑珠的形式。

注意事项

1. 灰黑串珠梯可以摆放成直角三角形或等腰三角形的形状，摆放时要灰色在左、黑色在右。

2. 取放灰黑串珠时要捏住珠耳。

3. 灰黑串珠梯要放在棉布上，用小桥切数。

二、数学领域"十进位系统"教具操作活动

（一）工作名称：金色串珠的命名

教具构成 1 颗粒珠代表 1，1 串串珠代表 10，1 片片珠代表 100，1 块珠块代表 1000，都是塑料质地，颜色为金黄色。

工作前经验 已非常熟悉数量点数工作或年龄在 4.5 岁以上。

操作材料 金色串珠 1、10、100、1000 各 1 个，木质托盘 1 个。

工作目的

1. 直接目的：幼儿初步接触金色串珠的材料，学习十进位系统中数量的名称。

2. 间接目的：同"黑白串珠梯"。

工作步骤

1. 介绍工作名称，取教具摆放于工作台上，从右至左摆放次序为粒珠、串珠、片珠

视频资源
金色串珠的命名

和块珠。

2. 指一粒"1"问"这是几"，指一串珠问："这串珠子有多少，你知道吗？我们用 1 比着数一数。"右手拿 1 在 10 的右侧比较点数，1 个 1……10 个 1 是 10，这是 10，依此法数千，完整进行三阶段教学。

3. 收回 1~1000 串珠，结束工作。

错误控制 金色串珠本身的尺寸和重量，幼儿对数字的理解。

兴趣点 金色串珠的命名。

指导用语 金色串珠；这是 1/10/100/1000。

注意事项

1. 用木质托盘盛放金色串珠。

2. 金色串珠在工作毯上的摆放位置是个位在右、千位在左。

3. 教师要注意观察幼儿掌握的情况，以此决定接下来的展示进度。

（二）工作名称：数字卡片的命名

教具构成 数字卡片均为纸质，具体规格为：1~9 绿色正方形，代表个位；10~90 蓝色长方形，代表十位；100~900 红色长方形，代表百位；1000~9000 绿色长方形，代表千位。

工作前经验 已认识金色串珠或年龄在 4.5 岁以上。

操作材料 大数字卡片 1、10、100、1000 各 1 张，金色串珠

视频资源
数字卡片的命名

1、10、100、1000 各 1 个，木质托盘 1 个。

工作目的

1. 直接目的：幼儿初步接触数字卡片，学习十进位系统中数字符号的名称。

2. 间接目的：同"黑白串珠梯"。

工作步骤

1. 介绍工作名称，取教具。

2. 将金色串珠放在工作毯上，指"1"问"这是几"，拿出数字 1 说"这是 1，它是绿色的。"将其放在金珠下方，依此法介绍到 1000，金珠收回，完整进行三阶段教学。

3. 数字卡收回，结束工作。

变化延伸 先出示数卡，再找对应的金黄色珠。

错误控制 数字卡片本身的尺寸和重量，幼儿对数字的理解。

兴趣点 数卡的命名。

指导用语 数字卡片；这是 1/10/100/1000。

注意事项

1. 数字卡片在工作毯上的摆放位置是个位在右、千位在左。

2. 教师要注意观察幼儿掌握的情况，以此决定接下来的展示进度。

（三）工作名称：金色串珠9的排列

工作前经验　已有金色串珠操作经验或年龄在4岁以上。

操作材料　金色串珠9个1、9串10、9片100、9块1000，木质托盘1个。

工作目的

1. 直接目的：让幼儿认识数位，理解每个数位上最大的量是9。

2. 间接目的：

（1）促进幼儿数学心智的发展。

（2）培养幼儿的秩序感和专注力。

（3）为幼儿未来学习十进位系统做准备。

（4）为幼儿未来学习四则运算做准备。

工作步骤

1. 介绍工作名称，取教具。

2. 将金色串珠从个位到千位竖着排列在工作毯上，由上至下数到9后指着粒珠位置说"这个位置我们叫它个位"，由上至下数到90后指着串珠位置说"这个位置我们叫它十位"。以此类推介绍到千位，完整进行三阶段教学。

3. 收回教具，结束工作。

变化延伸　数字卡片9的排列。

错误控制　金色串珠本身的尺寸和数量。

兴趣点　排列的过程。

指导用语　1～9000的数名；数学家把这个位置叫个位/十位/百位/千位。

注意事项　金色串珠在工作毯上摆放的位置是个位在右、千位在左。

（四）工作名称：9的危机

视频资源

9的危机

工作前经验　已有金色串珠操作经验或年龄在4.5岁以上。

操作材料　大托盘装有金色串珠9个1、9串10、9片100，小托盘装有1个1、1串10、1片100、1块1000。

工作目的

1. 直接目的：理解位数之间量的进位。

2. 间接目的：同"金色串珠9的排列"。

工作步骤

1. 介绍工作名称，取教具，点数大托盘的金色串珠，将其摆放在工作毯上。

2. 从小托盘取1粒珠子，"这里还有1粒珠子，9粒珠子再添上1粒是多少，我们数数"，粒珠是10，拿出1串珠子比较，一样的，10颗粒珠拿走；1串10放十位上，与原来的9串10一起数是10串10，拿1片100比较，也是一样的，10串10拿走。1片100放百位，依此法继续，最后摆成 1 个 1000。

3. 收回教具，结束。

变化延伸 排列进位系统鸟瞰图。

错误控制 幼儿对数量的理解。

兴趣点 1 的威力，千的死亡。

指导用语 1 个 1、2 个 1、3 个 1、4 个 1……9 个 1；请××帮老师取 1 个 1 来；10 个 1 是 10；1 个 10、2 个 10、3 个 10……9 个 10；请××帮老师取 1 个 10 来；10 个 10 是 100；1 个 100、2 个 100、3 个 100……9 个 100；请××帮老师取 1 个 100 来；10 个 100 是 1000。

（五）工作名称：取数量

工作前经验 已熟悉金色串珠和数字卡片或年龄在 4.5 岁以上。

操作材料 数字卡片若干、木制托盘 1 个、小碟 1 个。

工作目的

1. 直接目的：练习数和量的组合方式。

2. 间接目的：

(1)促进幼儿数学心智的发展。

(2)培养幼儿的秩序感和专注力。

(3)为幼儿学习十进位系统做准备。

(4)为幼儿学习四则运算(银行游戏)做准备。

(5)为幼儿学习代数做准备。

工作步骤

1. 介绍工作名称，取教具。

2. 出示图片(教师自己准备图片，图片上方是形象的物品，下方是这个物品的价钱，如冰箱，3789)。读数，引导幼儿取对应的大数字卡片(教师可以进行情境创设，安排一名幼儿扮演数字卡小姐帮助取卡)，从高位取，取数字卡到工作毯上，师幼共同检验。

3. 引导幼儿取量(教师可安排一名幼儿扮演银行先生或银行小姐帮助取金色串珠)，放在工作毯上检查(第二阶段可取特殊的数如 5555、5050、5005、505)。

4. 送卡片，送金色串珠，结束工作。

变化延伸

1. 教师可变化不同的语言和数字卡。

2. 此次工作可由两名以上幼儿合作完成。

3. 为幼儿准备白纸若干、彩笔若干，让幼儿自制数字卡后再取数量。

错误控制 幼儿对数量的理解。

兴趣点 数字小姐、银行小姐/先生的称呼。

指导用语 幼儿取数量时的数名。

注意事项 此次工作将为幼儿进行银行游戏做准备，要鼓励幼儿反复练习，使其提高取数量时的正确率。

三、数学领域"连续数的认识"教具操作活动

(一)工作名称：塞根板第一盒(认识11～19)

教具构成 2块长方形木板，每块木板有5个隔断，前9个隔断上印着数字10，可从右侧插入个位数的木板。

工作前经验 已了解数位或年龄在4.5岁以上。

操作材料 塞根板第一盒、彩色串珠1套、金色串珠9串10、小盒子2个。

工作目的

1. 直接目的：让幼儿学习数字11～19的组合形式。

2. 间接目的：为幼儿学习11～19的数字书写做准备。

工作步骤

1. 介绍工作名称，取教具，散放串珠。

2. 上底板放左侧，下底板放右侧，散放数字。

3. 分别请幼儿将数字与彩珠排序。

4. 指底板上的10说是"10"，取一串10放左侧，"它是多少"；取红色串珠1问"这是几"，放在金色串珠10的右侧。"10和1合起来是多少，我们来数数"，"10、11，10和1合起来是11"，将数字1插进塞根板中，"这是11"。教师示范到13，请幼儿合成14～19，完整进行三阶段教学，将底板放回原处。

5. 收教具：彩串变彩梯再入盒，金色串珠顺序收回，数字归队，整理收回，将右底板和左底板盖好，结束。

变化延伸 让幼儿书写11～19的数字。

错误控制 幼儿关于数字的知识，金色串珠和彩色串珠的数量。

兴趣点 数字组合的规律。

指导用语 塞根板第一盒，11～19的数名。

注意事项 教师要结合对幼儿的观察合理安排每次教学的容量，以认识3～5个数字为宜。

(二)工作名称：塞根板第二盒

教具构成 2块长方形木板，每块木板有5个隔断，两块木板相应隔断上印刷着数字10～90，可从右侧插入个位数的木板。

🎁 第一次展示：认识 11～99

工作前经验　已有塞根板第一盒操作经验或年龄在 4.5 岁以上。

操作材料　塞根板第二盒、彩色串珠梯 1 盒、金色串珠 9 串 10、小盒子 2 个。

工作目的

1. 直接目的：让幼儿学习数字 11～99 的组合
形式，理解数字排列的顺序。

2. 间接目的：

（1）为幼儿学习连续数数做准备；

（2）为幼儿学习 11～99 的数字书写做准备。

工作步骤

1. 介绍工作名称，取教具，散放彩珠。

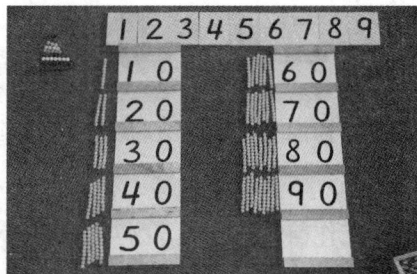

图 3-19

2. 上底板放左侧，下底板放右侧，散放数字。

3. 分别将彩珠与数字排序（图 3-19）。

4. 引导幼儿观察两侧底板数字，右底板扣放在左侧底板上 20 以下的数（包括 20），
复习 11～19 的合成；当合成 19 后，问"19 的后面是多少"，拿出两串 10，放底板左侧，
打开底板露出 20，示范合成 20～23。其他数字的组数可根据幼儿能力让其自行操作。

5. 收教具，收的方法同塞根板第一盒，结束。

变化延伸

1. 可使用金色串珠 9 个 1、9 串 10 进行数字组合。

2. 让幼儿书写 11～99 的数字。

3. 为塞根板第二盒配数字卡片 11～99。

错误控制　幼儿关于数字的知识，金色串珠和彩色串珠的数量。

兴趣点　数字的组合规律。

指导用语　塞根板第二盒；11～19 的数名。

注意事项　此次展示要根据幼儿的掌握情况，分成 5～9 课时完成。

🎁 第二次展示：11 的倍数

工作前经验　已有加法或乘法计算经验或年龄在 5.5 岁以上。

操作材料　塞根板第二盒、彩色串珠 1 套、金色串珠 45 串 10、小盒子 2 个。

工作目的

1. 直接目的：发现数字之间等量递增的关系。

2. 间接目的：为幼儿学习连加做准备。

工作步骤

1. 介绍工作名称，取教具，散放彩珠。

2. 上底板放左侧，下底板放右侧，散放数字。

3. 请幼儿将珠与数字排序。

4. 与幼儿合成 11～99，"你合成的是?"请幼儿观察这些数字的特点。"个位与十位数字是一样的"，指 11，"这是 11，这个 1 表示一个 10(指一下金珠)，这个 1 表示一个 1 在个位上(指一下彩珠)。"教师举例到 33，剩下的请幼儿说出含义，请幼儿注意"相同的数在不同的数位上表示的量是不一样的"。

5. 收教具。

变化延伸　可用金色串珠 45 个 1、45 个 10 进行操作。

错误控制　幼儿关于数字的知识，金色串珠和彩色串珠的数量。

兴趣点　数字的组合规律。

指导用语　所涉及的数名。

注意事项　根据幼儿情况，安排展示的次数。

(三)工作名称：100 板

第一次展示：有控制卡的展示

工作前经验　已有塞根板操作经验或年龄在 4.5 岁以上。

操作材料　100 板(有控制卡)，10 个小玻璃杯(上面分别贴有标签，如 1～10、11～20、21～30……91～100 等，每个小玻璃杯内放着相应的数字板)，1 个钥匙圈。

工作目的

1. 直接目的：练习数字 1～100 的正数和倒数。

2. 间接目的：

(1)促进幼儿数学心智的发展。

(2)为幼儿学习十进位系统做准备。

工作步骤

1. 介绍工作名称，取教具，散放数字杯(数字瓶)。

2. 根据序号排列数字瓶，打开控制板，钥匙圈放一侧。

3. 打开 1～10 的瓶子，散放数字，将钥匙圈放在控制板 1 的数字上，找到数字放在底板上，依次边移动钥匙圈边找出对应数字，放入底板。

4. 收回(收时可正收，即正数，也可倒收，即倒数)，结束。

变化延伸

1. 可进行正数，倒数，从任意数开始数的练习。

2. 无控制板排列。

错误控制　100 板的控制卡，幼儿对数字序列的理解。

兴趣点　钥匙圈。

指导用语 100 板所涉及的数名。

注意事项 注意钥匙圈的使用安全。

第二次展示：奇偶数的发现

工作前经验 已有数字筹码和 100 板操作经验或年龄在 4.5 岁以上。

操作材料 100 板（有控制卡），10 个小玻璃杯（上面分别贴有标签，如 1～10、11～20、21～30……91～100 等，每个小玻璃杯内放着相应的数字板），个位金色串珠若干。

工作目的

1. 直接目的：认识 100 以内的奇数和偶数，并在教师的引导下总结规律。

2. 间接目的：为幼儿学习十进位系统做准备。

工作步骤

1. 介绍工作名称，取教具，按顺序排列数字杯。

2. 打开 1～10，按顺序排列在底板上，问"1～10 中哪些是奇数，哪些是偶数"；打开 11～20，按顺序将数字放在底板上，问"11～20 中谁是奇数，谁是偶数"；用金色串珠粒珠来排列，排到 11 停，请幼儿说出 11 是奇数，还是偶数；边排列粒珠边询问"12 呢？13 呢？"说出 11～20 中的所有奇数和偶数。随机问其他数字分别是什么数。

3. 说总结语，收教具。

变化延伸

1. 在生活中找奇数和偶数。

2. 教师说出任意数，让幼儿来区分是奇数还是偶数。

错误控制 幼儿学习数字与筹码时的经验。

兴趣点 数字的规律。

指导用语 凡是个位数字是 1、3、5、7、9 的数字是奇数，凡是个位数字是 2、4、6、8、0 的数字是偶数。

注意事项 教师尽量让幼儿总结出奇数和偶数的规律。

第三次展示：数字接龙游戏

工作前经验 已有 100 板操作经验或年龄在 4.5 岁以上。

操作材料 100 板（无控制卡），10 个小玻璃杯（上面分别贴有标签，如 1～10、11～20、21～30…… 91～100 等，每个小玻璃杯内放着相应的数字板）。

工作目的

1. 直接目的：用游戏形式增加幼儿对数字排列顺序的理解。

2. 间接目的：为幼儿学习十进位系统做准备。

工作步骤

1. 介绍工作名称，取教具，邀幼儿同坐到工作毯的周围。

2. 打开瓶子倒出数字，教师将数字分成若干份给幼儿，请幼儿仔细看手里的数字是多少；按顺序请幼儿将听到的数字对应放在底板上，全部找完后，停顿观察。

3. 将数字收回瓶中，结束。

变化延伸 可按特殊规律进行数字接龙。

错误控制 幼儿对数字的理解。

兴趣点 数字的规律。

指导用语 所涉及的数名。

注意事项 最开始进行此次工作时，发给幼儿数字板，以四五块为宜，逐渐增多。

(四)工作名称：100 串珠链

教具构成 金黄色圆形珠链，由 10 串金色串珠 10 连接在一起而成。

工作前经验 已有 100 板操作经验或年龄在 4.5 岁以上。

操作材料 100 串珠链，数字卡片，1~9 各 1 张(绿色、0.5 厘米宽)、10~90 各 1 张(蓝色，1 厘米宽)、100 的 1 张(红色，1.5 厘米宽)，胶卷瓶 3 个(上有标签)，小桥 1 个，金色串珠 1 片 100。

工作目的

1. 直接目的：提高难度，巩固连续数的概念。

2. 间接目的：

(1)为幼儿学习十进位系统做准备。

(2)锻炼幼儿思维和肢体动作的准确性。

工作步骤

1. 介绍工作名称，取教具，瓶子放好，将折成片状的珠链放在工作毯上。

2. 缓慢拉开珠链问："这条长长的珠链有多少颗金珠？我们来数一数。"打开 1~9 的瓶子倒出数字，拿起小桥从右往左切串珠，每切数一个就放在对应的数字下面，数到 10 停；打开另一瓶 10~90，倒出数字将 10 放好，剩下群数到 100，这一串珠有 100 颗，上下对折成片状，拿出一片 100 问"这是多少"，与 10 串 10 比较是一样多的。

3. 数字、教具收回，结束。

错误控制 100 串珠链与数字卡片的对应，幼儿数数的能力。

兴趣点 珠链的数学规律。

指导用语 本工作涉及的数名。

注意事项 100 串珠链要从右至左切数。

(五)工作名称：1000 串珠链

教具构成 金黄色圆形珠链，由 100 串金色串珠 10 连在一起。

工作前经验　已有 100 串珠链工作经验或年龄在 5 岁以上。

操作材料

100 串珠链，数字卡片 1~9 各 1 张(绿色、0.5 厘米宽)、10~90 各 1 张(蓝色，1 厘米宽)、100 的 1 张(红色，1.5 厘米宽)，胶卷瓶 3 个(上有标签)，小桥 1 个，金色串珠 10 片 100、1 块 1000。

工作目的

1. 直接目的：提高难度，巩固连续数的概念。

2. 间接目的：同"100 串珠链"。

工作步骤　同"100 串珠链"的工作步骤，最后合 10 片 100 与 1000 比较。

变化延伸　将 1000 串珠链摆成不同的样子进行切数。

错误控制

1000 串珠链与数字卡片的对应。

兴趣点　金黄色珠的变化。

指导用语　1000 串珠链，所涉及的数名。

注意事项

1. 1000 串珠链可摆成任意样子，但应注意首尾不要相连。

2. 可进行数字卷的书写。

四、数学领域"四则运算"教具操作活动

(一)工作名称：加法银行游戏

第一次展示：金色串珠的交换

工作前经验　已有十进位系统操作经验或年龄在 4.5 岁以上。

操作材料　金色串珠 45 个 1，小盒子 1 个。

工作目的

1. 直接目的：能正确交换金色串珠。

2. 间接目的：为幼儿学习四则运算中的进位和退位做准备。

工作步骤

1. 介绍工作名称，取教具。

2. 请幼儿拿托盘去银行取量，放在工作毯上，从低位开始点数，满 10 引导幼儿去换串珠，最后说出总数，反复练习直到幼儿能够正确地点数数量。

3. 收回，结束。

变化延伸

1. 用若干串金色串珠 10 去交换金色串珠 100。

2. 用若干片金色串珠 100 去交换金色串珠 1000。

3. 用 1 块金色串珠 1000 去交换金色串珠 100、10、1。

4. 在生活中用实物进行等量交换，如钱币等。

错误控制　金色串珠本身的量，幼儿对数量的理解。

兴趣点　取量的过程。

指导用语　我要去银行用 10 个 1 换 1 个 10；我要去银行用 10 个 10 换 1 个 100；我要去银行用 10 个 100 换 1 个 1000；我要去银行用 1 个 1000 换 10 个 100；我要去银行用 1 个 100 换 10 个 10；我要用 1 个 10 换 10 个 1。

注意事项　教师要鼓励幼儿多操作此项工作，以达到非常熟练且准确的程度。

第二次展示：不进位的加法

工作前经验　已能正确取数量且理解合成的概念或年龄在 4.5 岁以上。

操作材料　木质空托盘 1 个、小碟 1 个、题卡若干、小袋子 1 个、金色串珠及数字卡片若干、加号卡片 1 张、红线 1 根。

工作目的

1. 直接目的：初步接触加法的计算方法，理解加法的概念。

2. 间接目的：为幼儿学习代数做准备。

工作步骤　以题卡"1324 + 2163 ="为例(图 3-20 至图 3-24)：

1. 介绍工作名称，编情境(如春天来了，小朋友们要去春游，幼儿园要为我们买春游用品，需要 1324 元，还要为我们安排汽车，需要 2163 元，那么我们这次春游一共需要多少钱呢？请小朋友和老师一起算一算)，取教具，读题卡。

图 3-20

图 3-21

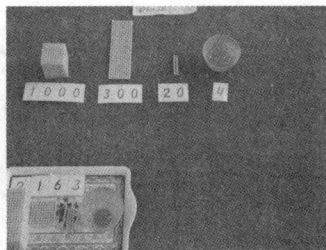
图 3-22

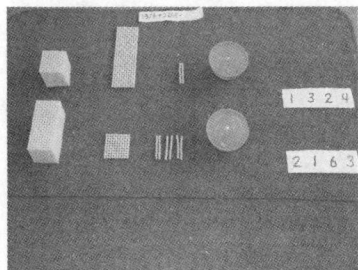
图 3-23

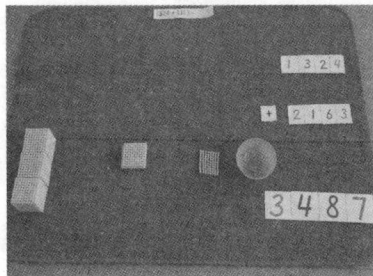
图 3-24

2. 取小卡 1324，请幼儿去银行取相等的量，放置在工作毯上；从高位检查，卡片放在量珠下方，依次取 2、1、6、3 的小卡与量合并检查。"现在我们把两次取来的量合在一起"，重叠小卡置右，将量珠从个位至千位合在一起，出示红线放在下面，从个位开始点数，量珠放红线下方。每点数一位取相应的大卡放量珠下方，依次点数完后重量大卡置右，出示"十"号，放竖式里，指念算式，拿出题卡写计算结果，根据题卡背面的答案进行订正。

3. 收教具：收小卡、大卡、金色串珠、符号和红线。

变化延伸

1. 教师启发幼儿解题时可引入生活中的不同场景。

2. 可由几名幼儿共同合作完成此项工作，比较适宜的人数是 3 人。

错误控制　金色串珠本身所代表的量，师幼互动中的反馈，题卡背面的得数。

兴趣点　形象计算的过程。

指导用语　银行游戏；我现在要去取××的金色串珠和小数字卡片；我们把个位／十位／百位／千位的金色串珠合在一起数数是多少；个位／十位／百位／千位的得数是××；我们取一张××的大数字卡片；最后的得数是××。

注意事项

1. 书写题卡时，要注意使不同位数的颜色和字卡的规律保持一致。

2. 教师所举的例子要和生活接近。

3. 金色串珠在工作毯上摆放时是个位在右、千位在左。

4. 用小数字卡片代表加数，用大数字卡片代表得数。

5. 计算的得数不能大于 9999，教师在为幼儿制作题卡时要考虑加数的大小。

第三次展示：进位的加法

工作前经验　已有不进位加法银行游戏操作经验。

操作材料　木质空托盘 1 个、小碟 1 个、题卡若干、小袋子 1 个、金色串珠及数字卡片若干、加号卡片 1 张、红线 1 根。

工作目的

1. 直接目的：掌握加法进位计算的方法，理解加法的概念。

2. 间接目的：为幼儿学习代数做准备。

工作步骤　以题卡"1452 + 3129 ="为例：

1. 编情境，介绍工作名称，取教具。

2. 取小卡 1452，请幼儿去银行取相等的量，放置在工作毯上。从高位检查，卡片放在量珠下方，依次取 3、1、2、9 小卡与量合并检查，"现在我们把两次取来的量合在一起"，重叠小卡置右，将量珠从个位至千位合在一起，出示红线放在下面，从个位开始点数，量珠放红线下方。每点数一位取对应的大卡放量珠下方，点数个位时数到 10 就去银行用10颗1换一串10，放在十位。依次点数完后重叠大卡置右，出示"＋"号，放竖式里，指念算式，拿出题卡写计算结果，根据题卡背面的答案进行订正。

3. 收教具：收小卡、大卡、金色串珠、符号和红线。

变化延伸

1. 教师启发幼儿解题时可引用生活中的不同场景。

2. 可由几名幼儿共同合作完成此项工作，比较适宜的人数是3。

错误控制　金色串珠本身所代表的量，师幼互动中的反馈，题卡背面的得数。

兴趣点　形象化计算的过程。

指导用语　银行游戏；我现在要去取××的金色串珠和小数字卡片；我们把个位/十位/百位/千位的金色串珠合在一起数数是多少；个位的金色串珠满10了，我们用这10个1去银行换1个10；个位/十位/百位/千位的得数是××；我们取一张××的大数字卡片；最后的得数是××。

注意事项

1. 教师所举的例子要贴近生活。

2. 金色串珠在工作毯上摆放时是个位在右、千位在左。

3. 用小数字卡片代表加数，用大数字卡片代表得数。

4. 计算的得数不能大于9999，教师在为幼儿制作题卡时要考虑加数的大小。

第四次展示：连续数的加法（相同的数字）

工作前经验　已有加法银行游戏操作经验。

工作目的

1. 直接目的：掌握多数连加的计算方法，理解加法的概念。

2. 间接目的：为幼儿学习代数计算做准备。

工作步骤　以题卡"1111＋1111＋1111＝"为例：

1. 编情境，介绍工作名称，取教具。

2. 取小卡1111，请幼儿去银行取相等的量，放置工作毯上，从高位检查，卡片放在量珠下方，取3次，依次竖向排列。"现在我们把3次取来的量合在一起"，重叠小卡置右，将量珠从个位至千位合在一起，出示红线放在下面，从个位开始点数量珠并放在红线下方。每点数一位取对应的大卡放量珠下方，重叠大卡置右，出示"＋"号，放竖式里，指念算式，拿出题卡写计算结果，根据题卡背面的答案进行订正。

3. 收教具：收小卡、大卡、金色串珠、符号和红线。

变化延伸　可进行连续的不相同数字的加法。

指导用语　银行游戏；我现在要去取××的金色串珠和小数字卡片；我们把个位/十位/百位/千位的金色串珠合在一起数数是多少；个位的金色串珠满10了，我们用这10个1去银行换1个10；个位/十位/百位/千位的得数是××；我们取一张××的大数字卡片；最后的得数是××。

说明：其余内容与第三次展示相同。

（二）工作名称：乘法银行游戏

第一次展示：不进位的乘法

工作前经验　已有加法银行游戏操作经验或年龄在 5 岁以上。

操作材料　木质空托盘 1 个、小碟 1 个、题卡若干、小袋子 1 个、金色串珠及数字卡片若干、乘号卡片 1 张、红线 1 根。

工作目的

1. 直接目的：初步接触乘法的计算方法，理解乘法的概念。

2. 间接目的：

（1）促进幼儿数学心智的发展。

（2）培养幼儿的秩序感和专注力。

（3）为幼儿学习代数计算做准备。

工作步骤　以题卡"$1231 \times 2 =$"为例：

1. 编情境，介绍工作名称，取教具。

2. 请幼儿取 1231 小卡，取相同的量，取回检查；"请你再取一次 1231 的小卡与量"，检查。"我们把两次取来的量合在一起"，方法同加法，最后重叠大卡置右。"1231 我们取了几次"，出示小卡 2，替换一组 1231，将其扣放。出示乘号介绍，"这个符号是乘号，表示相同的数取了几次"，指念算式，出示题卡，检查订正。

3. 收教具。

变化延伸

1. 教师启发幼儿解题时可引用生活中的场景。

2. 可由几名幼儿共同合作完成此项工作，比较适宜的人数是 3。

错误控制　金色串珠本身所代表的量，题卡背面的得数。

兴趣点　形象计算的魅力。

指导用语

银行游戏；我现在要去取××的金色串珠和小数字卡片；这是第一次/第二次/第三次的××；我们把个位/十位/百位/千位的金色串珠合在一起数数是多少；个位/十位/百位/千位的得数是××；我们取一张××的大数字卡片；最后的得数是××。

注意事项

1. 教师所举的例子要贴近生活。

2. 金色串珠在工作毯上摆放时是个位在右、千位在左。

3. 用小数字卡片代表加数，用大数字卡片代表得数。

4. 计算的得数不能大于 9999，教师在为幼儿制作题目卡时要考虑被乘数和乘数的大小。

第二次展示：进位的乘法

本展示在操作材料、工作步骤与注意事项等方面与第一次展示十分接近，有所区别的是引入了进位的概念。进位的操作方法同加法进位。

(三)工作名称：减法银行游戏

第一次展示：不退位的减法

工作前经验 已有银行游戏操作经验或年龄在 5 岁以上。

操作材料 木质空托盘 1 个、小碟 1 个、题目卡若干、小袋子 1 个、金色串珠及数字卡片若干、减号卡片 1 张、红线 1 根。

工作目的

1. 直接目的：初步接触减法的计算方法，理解减法的概念。

2. 间接目的：略。

工作步骤 以题卡"3421 – 2119 = "为例：

1. 编情境，介绍工作名称，取教具。

2. 取 3421 大卡与量珠，检查。"我要从 3421 里拿走一部分但不都拿走，我拿走 2119"，出示 2119 小卡放托盘里(图 3-25)，从个位开始拿量(金色串珠)放托盘中，从高位检查，重叠大卡置右，2119 放算式里，出示红线放好。"我们数数还剩下多少量"，从个位开始点数放红线下方，每数完一位取对应小卡，重叠答案置右，出示减号。"这个符号是减号，表示被拿走，减去"，指念算式，题卡订正，写计算结果(图 3-26)。

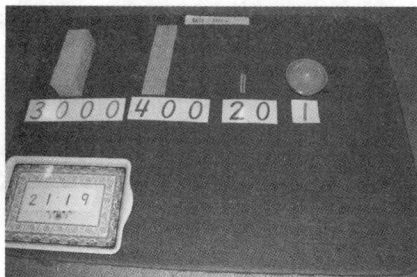

图 3-25

图 3-26

3. 收教具。

变化延伸

1. 教师启发幼儿解题时可引用生活中的不同场景。

2. 可由几名幼儿共同合作完成此项工作，比较适宜的人数是 3。

错误控制 金色串珠本身所代表的量，题卡背面得数。

兴趣点 形象计算的过程。

指导用语 银行游戏；我现在要去取××的金色串珠和大数字卡片；我现在要去取××的小数字卡片；我们用个位的×减去×，还剩下×；个位的得数是×，我们取一张×的小数字卡片；最后的得数是××。

注意事项

用大数字卡片代表被减数，用小数字卡片代表减数和得数。

第二次展示：退位的减法

工作步骤 以题卡"3152 – 1357 ="为例：

1. 编情境，介绍工作名称，取教具。

2. 取 3152 大卡与量珠，检查。"我要从 3152 里拿走一部分但不都拿走，我拿走 1357"，出示 1357 小卡放托盘里，从个位开始拿量放托盘中，从高位检查，重叠大卡置右，1357 放算式里，出示红线放好。"我们数数还剩下多少量"，从个位开始点数放红线下方，从 2 个里面拿走 7 个不够拿，从前面的十位借一串 10，去银行换 10 颗 1，和原来的 2 颗放在一起，拿走 7 颗，还剩下 5 颗。每数完一位取对应小卡，重叠答案置右，出示减号，指念算式，写计算结果，题卡订正。

3. 收教具。

指导用语 银行游戏；我现在要去取××的金色串珠和大数字卡片；我现在要去取××的小数字卡片；我们用个位的×减去×，不够减向十位借 1 个 10，我们去银行把这 1 个 10 换成 10 个 1；我们继续减，个位还剩下×；个位的得数是×，我们取一张×的小数字卡片；最后的得数是××。

说明：其余内容同第一次展示。

（四）工作名称：除法银行游戏

第一次展示：不退位且整除的除法

工作前经验 已有银行游戏操作经验或年龄在 5 岁以上。

操作材料 题卡若干、小袋子 1 个、金色串珠及数字卡片若干、除号卡片 1 张、红线 1 根、若干套托盘和小碟（除数是几即有几套，用来盛放得数）。

工作目的

1. 直接目的：初步接触除法的计算方法，理解除法的概念。

2. 间接目的：略。

工作步骤 以题卡"2846 ÷ 2 ="为例：

1. 设计情境，介绍工作名称，取教具。

2. 取 2846 大卡、量珠，"我要把 2846 的量平均分给两个人，我要分得很公平"。请幼儿拿好托盘，从高位开始分，"你 1000，你 1000……千位分完了"，像这样依次将量珠分给幼儿。"请你们数数托盘里分到了多少金色串珠，取对应的小数字卡片放好"，重叠大卡，小卡放横式中。"老师将2846分给了几个人"，出示小卡2放横式里，出示除号介绍，"这个符号是除号，表示平均分配"，指念算式订正。

3. 收教具，结束。

变化延伸

1. 教师启发幼儿解题时可引用生活中的不同场景。

2. 可由几名幼儿共同合作完成此项工作，比较适宜的人数是3。

错误控制　金色串珠本身所代表的量，题卡背面的得数。

兴趣点　减法计算的过程。

指导用语　银行游戏；我现在要去取××的金色串珠和大数字卡片；我现在要去取×的小数字卡片；我们将千位的金色串珠分给×个小朋友，记住每个小朋友要一样多；分给你1000，分给你1000……每个小朋友分到了×个1000，千位的得数是×，我们取一张×的小数字卡片；每个小朋友分到××，最后的得数是××。

注意事项

1. 教师所举的例子要贴近幼儿生活。

2. 金色串珠在工作毯上摆放时是个位在右、千位在左。

3. 用大数字卡片代表被除数，用小数字卡片代表除数和得数。

第二次展示：退位且整除的除法

工作步骤　略，不够分时借位方法同减法的借位。

指导用语　银行游戏；我现在要去取××的金色串珠和大数字卡片；我现在要去取×的小数字卡片；我们将千位的金色串珠分给×个小朋友，记住每个小朋友要一样多；分给你1000，分给你1000……还剩下1000不够分，我们去银行用这1个1000换成10个100；每个小朋友分到×个1000，千位的得数是×，我们取一张×的小数字卡片；现在让我们分百位上的金色串珠……每个小朋友分到××，最后的得数是××。

说明：其余内容与第一次展示相同。

第三次展示：不退位且有余数的除法

操作材料　题卡若干、小袋子1个、金色串珠及数字卡片若干、除号卡片1张、红线1根、若干套托盘和小碟(除数是几即有几套，用来盛放得数)，另准备1个小碟用来盛放余数。

工作步骤　略，参照退位且有余数的除法。

指导用语　银行游戏；我现在要去取××的金色串珠和大数字卡片；我现在要去取×的小数字卡片；我们将千位的金色串珠分给×个小朋友，记住每个小朋友要一样多；分给你1000，分给你1000……每个小朋友分到了×个1000，千位的得数是×，我们取一张×的小数字卡片；个位还剩×个不够分，这是多余的，放在这个小碟子里；每个小朋友分到××，还余下×，最后的得数是××。

注意事项 用大数字卡片代表被除数，用小数字卡片代表除数、得数和余数。

说明：其余内容与第一次展示相同。

🎁 第四次展示：退位且有余数的除法

工作前经验 已有银行游戏操作经验或年龄在5岁以上。

操作材料 题卡若干、小袋子1个、金色串珠及数字卡片若干、除号卡片1张、红线1根、若干套托盘和小碟（除数是几即有几套，用来盛放得数和余数）。

工作步骤 以题卡"1445÷2="为例：

1. 设计情境，介绍工作名称，取教具。

2. 取1445大卡和量珠（图3-27），"我要把1445的量平均分给两个人，我要分得很公平"。请幼儿拿好托盘摆好（图3-28），从高位开始分，"你1000，你1000……千位分完了"，像这样依次将量珠分给幼儿。"请你们数数托盘里分到了多少金色串珠，取对应的小数字卡片放好"，重叠大卡，小卡放横式中；"老师将1445分给了几个人"，出示小卡2放横式里，出示除号介绍，"这个符号是除号，表示平均分配"，指念算式（图3-29），写计算结果，订正。

3. 收教具，结束。

图 3-27

图 3-28

指导用语 银行游戏；我现在要去取××的金色串珠和大数字卡片；我现在要去取×的小数字卡片；我们将千位的金色串珠分给×个小朋友，记住每一个小朋友要一样多；分给你1000，分给你1000……还剩下1000不够分，我们去银行用这一个1000换成10个100；每个小朋友分到×个1000，千位的得数是×，我们取一张×的小数字卡片；现在让我们分百位上的金色串珠……个位还剩×个不够分，这是多余的，放在这个小碟子里，每个小朋友分到××，还余下×，

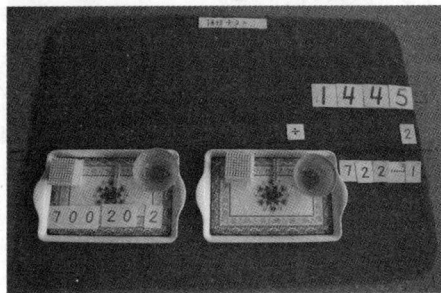

图 3-29

最后的得数是××，余×。

注意事项

用大数字卡代表被除数，用小数字卡代表除数、得数和余数。

说明：其余内容同本工作第一次展示。

（五）工作名称：加法邮票游戏

第一次展示：不进位的加法

工作前经验 已有加法银行游戏操作经验或年龄在 5 岁以上。

操作材料 邮票游戏盒、题卡若干、小袋子 1 个、大数字卡片若干、加号卡片 1 张、红线 1 根。

工作目的

1. 直接目的：用较抽象的材料加深幼儿对加法概念的理解，提高幼儿计算的能力。

2. 间接目的：略。

工作步骤 以题卡"2132 + 3241 ="为例：

1. 出示题卡。

2. 放定位图片与定位小人。

3. 取 2132 的邮票总数，再取 3241 的邮票与 2132 邮票保持距离，把两次取来的邮票合起来从个位开始数，出示红线。从个位开始点数邮票放到杯子里，数完直接写答案，拿出题卡订正。

4. 送回邮票、定位小人、圆片和红线。

变化延伸 教师启发幼儿解题时可引用生活中的不同场景。

错误控制 金色串珠本身所代替的量，师幼互动中的反馈，题卡背面的得数。

兴趣点 形象计算的过程。

指导用语 邮票游戏；我现在取××的邮票；我们把个位/十位/百位/千位的邮票合在一起数数是多少；个位/十位/百位/千位的得数是××；我们取一张××的大数字卡片；最后的得数是××。

注意事项

1. 教师所举例子要贴近幼儿生活。

2. 邮票在工作毯上摆放时是个位在右、千位在左。

3. 用大数字卡代表得数。

4. 计算的得数不能大于 9999，教师在为幼儿制作题卡时要考虑加数的大小。

第二次展示：进位的加法

工作步骤 以题卡"2346 + 3125 ="为例：

1. 出示题卡，请幼儿抄题。

2. 放定位图片与定位小人（图3-30）。

3. 取2346的邮票总数，再取3125的邮票与之保持距离，把两次取来的邮票合起来从个位开始数，出示红线（图3-31）。从个位开始点数邮票放到杯子里，数完直接写答案，若超过10直接拿杯子去换。换回的邮票放在红线上，数前位时先数红线上的邮票，拿出题卡订正。

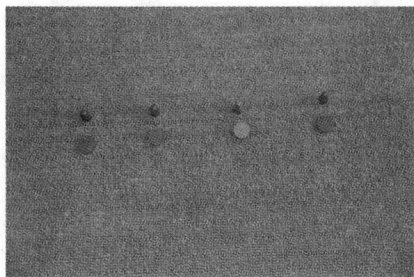

图3-30

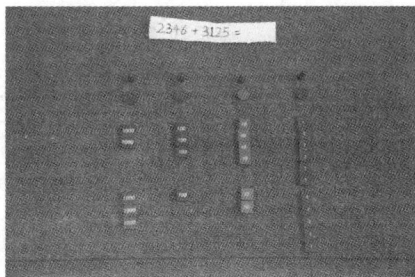

图3-31

4. 送回邮票、定位小人、圆片和红线。

指导用语　邮票游戏；我现在取××的邮票；我们把个位/十位/百位/千位的邮票合在一起数数是多少；个位的邮票满10了，我们用这10个1去银行换1个10；个位/十位/百位/千位的得数是××；我们取1张××的大数字卡片；最后的得数是××。

说明：其余内容同本工作第一次展示。

第三次展示：连续数的加法

工作步骤　略，将取的量竖向排列，其他方法同前两次展示。

指导用语　邮票游戏；我现在取××的邮票；我们把个位/十位/百位/千位的邮票合在一起数数是多少；个位的邮票满10了，我们用这10个1去银行换1个10；个位/十位/百位/千位的得数是××；我们取1张××的大数字卡片；最后的得数是××。

说明：其余内容同本工作第一次展示。

（六）工作名称：乘法邮票游戏

第一次展示：不进位的乘法

工作前经验　已有加法邮票游戏操作经验或年龄在5岁以上。

操作材料　邮票游戏盒、题目若干、小袋子1个、大数字卡片若干、加号卡片1张。

工作目的

1. 直接目的：用较抽象的材料加深幼儿对乘法概念的理解，提高幼儿计算能力。

2. 间接目的：略。

工作步骤　略，同连续数的加法。

指导用语　邮票游戏；我现在取××的邮票，这是第一次/第二次/第三次的××，我们把个位/十位/百位/千位的邮票合在一起数数是多少；个位的邮票满10了，我们用这10个1去银行换1个10；个位/十位/百位/千位的得数是××；我们取1张××的大数字卡片，最后的得数是××。

说明：其余内容同"加法邮票游戏"。

第二次展示：进位的乘法

本展示内容同第一次展示。

（七）工作名称：减法邮票游戏

第一次展示：不退位的减法

工作前经验　已有减法银行游戏操作经验或年龄在5岁以上。

操作材料　邮票游戏盒，题卡若干，小袋子1个，大数字卡片若干，减号卡片1张，红线1根。

工作目的

1. 直接目的：用较抽象的材料加深幼儿对减法概念的理解，提高幼儿的计算能力。

2. 间接目的：略。

工作步骤　以题卡"4357 − 2132 ="为例：

1. 介绍工作名称，出示题卡。

2. 放定位图片与定位小人。

3. 取4357的邮票总数，然后从4357中拿走2132个，先从个位拿，依次放到准备好的杯子里，出示红线。从个位开始点数邮票放到红线下面的杯子里，数完直接写答案，拿出题卡订正。

4. 送回邮票、定位小人、圆片、红线。

指导用语　邮票游戏；我现在取××的邮票；我现在要去取××的小数字卡片；我们用个位的×减去×，还剩下×；个位的得数是×，我们取一张×的小数字卡片，最后的得数是××。

注意事项

用小数字卡片代表减数和得数。

第二次展示：退位的减法

工作步骤　略，借位方法同银行游戏。

指导用语　邮票游戏；我现在要去取××的邮票；我现在要去取××的小数字卡片；我

们用个位的 × 减去 ×，不够减向个位借 1 个 10；我们去银行把 1 个 10 换成 10 个 1；我们继续减，个位上的还剩下 ×，个位的得数是 ×；我们取一张 × 的小数字卡片，最后的得数是 × ×。

说明：其他内容同本工作第一次展示。

（八）工作名称：除法邮票游戏

第一次展示：不退位且整除的除法

工作前经验　已有除法银行游戏操作经验或年龄在 5 岁以上。

操作材料　邮票游戏盒、小碟子 1 个、题卡若干、小袋子 1 个、小数字卡片若干、除号卡片 1 张、红线 1 根。

工作目的

1. 直接目的：用较抽象的材料加深幼儿对除法概念的理解，提高幼儿的计算能力。

2. 间接目的：略。

工作步骤　以题卡"$3366 \div 3 =$"为例：

1. 介绍工作名称，出示题卡。

2. 放定位图片与定位小人。

3. 取 3366 的邮票总数，平均分成 3 份，并将其排列在红线下方，点数。写计算结果，然后检验。

4. 收回，结束。

指导用语　邮票游戏；我现在要去取 × × 的邮票；我现在要去取 × 的小数字卡片；我们将千位的邮票分给 × 个小朋友，记住每个小朋友要一样多；分给你 1000，分给你 1000……每个小朋友分到了 × 个 1000，千位的得数是 ×，我们取一张 × 的小数字卡片；每个小朋友分到 × ×，最后的得数是 × ×。

注意事项　用小数字卡片代表除数和得数。

说明：其他内容同"加法游戏"。

第二次展示：退位且整除的除法

工作步骤　略，借位方法同银行游戏除法借位。

指导用语　邮票游戏：我现在要去取 × × 的邮票；我现在要去取 × 的小数字卡片；我们将千位的邮票分给 × 个小朋友，记住每个小朋友要一样多；分给你 1000，分给你 1000……还剩下 1000 不够分，我们去银行用这 1 个 1000 换成 10 个 100；每个小朋友分到了 × 个 1000，千位的得数是 ×，我们取一张 × 的小数字卡片；现在让我们分百位上的邮票……每个小朋友分到 × ×，最后的得数是 × ×。

说明：其他内容同本工作第一次展示。

第三次展示：不退位且有余数的除法

工作步骤 略，方法同除法银行游戏。

指导用语 邮票游戏；我现在要去取××的邮票；我现在要去取×的小数字卡片；我们将千位的邮票分给×个小朋友，记住每个小朋友要一样多；分给你1000，分给你1000……每个小朋友分到了×个1000，千位的得数是×，我们取一张×的小数字卡片；个位还剩×个不够分，这是多余的，放在这个小碟子里；每个小朋友分到××，还余下×，最后的得数是××，余×。

说明： 其他内容同本工作第一次展示。

第四次展示：退位且有余数的除法

工作步骤 略，方法同除法银行游戏。

指导用语 邮票游戏；我现在要去取××的邮票；我现在要去取×的小数字卡片；我们将千位的邮票分给×个小朋友，记住每个小朋友要一样多；分给你1000，分给你1000……还剩下1000不够分，我们去银行用这1个1000换成10个100；千位的得数是×，我们取一张×的小数字卡片；现在让我们分百位上的邮票……个位还剩×个不够分，这是多余的，放在这个小碟子里；每个小朋友分到××，还余下×，最后的得数是××，余×。

说明： 其他内容同本工作第一次展示。

(九)工作名称：加法板

教具构成 包括加法板、蓝色定规、红色定规。

加法板：是一块印有 12×18 方格的长方形白色木板，最上面印有 $1 \sim 18$ 的数字（$1 \sim 10$ 是红色数字，$11 \sim 18$ 是蓝色数字），数字10之后有一条红色的线(图3-32)。

蓝色定规：9块由短至长的蓝色长方形木板。

红色定规：9块由短至长的红色长方形木板。

工作前经验 已有银行游戏和邮票游戏操作经验或年龄在5岁以上。

工作目的

1. 直接目的：练习 $1 \sim 9$ 任意两个数的加法。

2. 间接目的：

(1) 帮助幼儿发现并总结加法的计算规律。

(2) 为幼儿将来学习抽象数学做准备。

工作步骤

1. 介绍工作名称，取教具。

2. 将红色、蓝色定规排好，蓝在左，红在右，读出"9 + 4 ="。将蓝色9放板上，取红色4放9的

视频资源

加法板

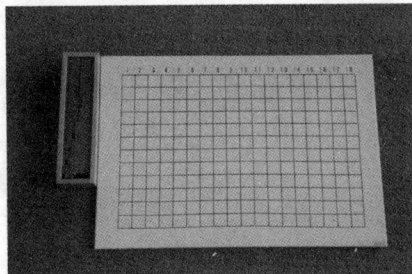

图3-32

后面，引导幼儿说出答案，"9 + 4 = 13"，定规指值，收回结束。

变化延伸

1. 做加法板 10 的合成工作(9 的合成、8 的合成等)。

2. 可为加法板配上题卡(最开始时不要让幼儿做过多的题目，保持在 3 ~ 5 题为宜，逐渐增至 9 道题目)。

错误控制　加法板本身的格子，加法订正板。

兴趣点　计算形式的变化。

指导用语　我们来做一道加法题，题目是 × 加上 ×，得数是 ×。

注意事项

1. 蓝色定规和红色定规是加数，加法板上印刷的 1 ~ 18 的数字是得数。

2. 此项工作可由两名幼儿合作完成。

(十)工作名称：减法板

教具构成　包括减法板、蓝色定规、红色定规、原色定规(图 3-33)。

减法板：一块印有 12 × 18 方格的白色长方形木板，最上面印有 1 ~ 18 的数字(1 ~ 10 是蓝色数字、11 ~ 18 是红色数字)，数字 10 之后有一条红色的线。

蓝色定规：9 块由短至长的蓝色长方形木板。

红色定规：9 块由短至长的红色长方形木板。

原色定规：17 块由短至长的原木色长方形木板。

工作前经验　已有银行游戏、邮票游戏操作经验或年龄在 5 岁以上。

工作目的

1. 直接目的：练习得数在 0 ~ 9 的减法。

2. 间接目的：帮助幼儿发现并总结减法的计算规律。

工作步骤

1. 介绍工作名称，取教具，散放红色和蓝色定规。

2. 红色定规在左、蓝色定规在右摆好，原色定规放

图 3-33

在右下方，读题"15 - 8 = "。左手指 15，右手数 15 后面的数字，取原色定规第 3 根，盖住 15 后面的数，取蓝色定规 8 放在 15 的下面(图 3-34)，引导幼儿数前面的量，取对应的红色定规，引导幼儿说出得数 7(图 3-35)，定规尺归位。

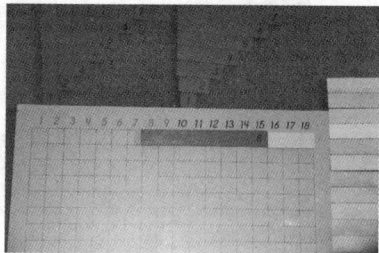

图 3-34

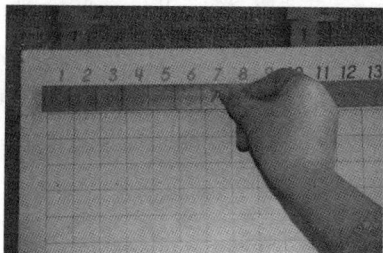

图 3-35

3. 收回，结束。

变化延伸

1. 做减法板的 10 的减法工作(9 的减法、8 的减法等)。

2. 可为减法板配上题卡。

错误控制 减法板本身的格子，减法订正板。

兴趣点 计算形式的变化。

指导用语 我们来做一道减法题，题目是×减去×，得数是×。

注意事项

1. 减法板上印刷的 1~18 的数字是被减数，蓝色定规是减数，红色定规是得数。

2. 17 根原木色定规起遮盖多余被减数的作用，并不参与实际计算。

3. 此项工作可由两名幼儿合作完成。

(十一)工作名称：乘法板

教具构成 乘法板、数字板、珠子、定位筹码。

乘法板：1 块中间有 10×10 的 100 个圆穴的原木色长方形木板，正上方有 1~10 的数字，木板左侧有一个凹槽，可插入数字板。

数字板：10 块白色长方形木板，分别印有 1~10 的数字。

珠子：100 粒红色圆形塑料珠粒。

定位筹码：红色、木质，呈圆形。

工作前经验 已有银行游戏、邮票游戏操作经验或年龄在 5 岁以上。

操作材料 乘法板、小碟 1 个。

工作目的

1. 直接目的：练习 1~9 的任意两个数字的乘法。

2. 间接目的：帮助幼儿发现并总结乘法的计算规律。

工作步骤

1. 介绍工作名称，取教具(图 3-36)。

2. 数字从 1~9 竖排于乘法板左侧，圆片放左上角凹槽里。出示题卡"3×2="，请幼儿说出式子含义，"表示 3 被重复取 2 次"。将数字 3 插进乘法板中，红色圆片放在 2 上，开始排珠，"第一次 1、2、3(竖排)""第二次……"引导幼儿数出总数，说出结果。

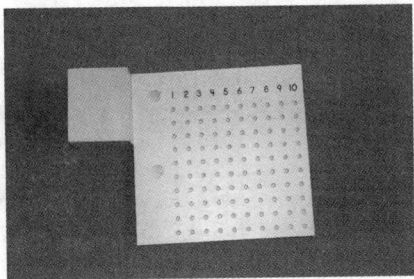

图 3-36

3. 归位，结束。

变化延伸 可为乘法板配上题卡。

错误控制 乘法板的珠子，乘法订正板。

兴趣点 计算形式的变化。

指导用语 我们来做一道乘法题，题目是×乘×，得数是×。

注意事项

1. 白色数字板上印刷的 1～10 的数字是被乘数，乘法板上方印刷的 1～10 的数字是乘数，100 粒红色的珠子是得数。

2. 此项工作可由两名幼儿合作完成。

视频资源

除法板

（十二）工作名称：除法板

教具构成　除法板、除数小人、珠子。

除法板：1 块原木色长方形木板，中间有 9×9 的 81 个圆穴，正上方有 9 个稍大的圆穴，可放入除数小人，木板左侧印有 1～9 的数字板。

除数小人：9 个像跳棋样的绿色木质小人。

珠子：81 粒圆形珠粒，绿色、塑料质地。

工作前经验　已有银行游戏、邮票游戏操作经验或年龄在 5 岁以上。

操作材料　除法板、小碟 1 个。

工作目的

1. 直接目的：练习得数在 1～9 的除法。

2. 间接目的：帮助幼儿发现并总结除法的计算规律。

工作步骤

1. 介绍工作名称，取教具。

2. 出示题卡，问"9÷3="的含义，"9 粒珠分给 3 个人"。数 9 粒珠放碟中，分别取 3 个小人放在除法板上方（图 3-37），然后分珠（图 3-38），引导幼儿数每个小人分到几粒，说出结果。

3. 收教具，结束。

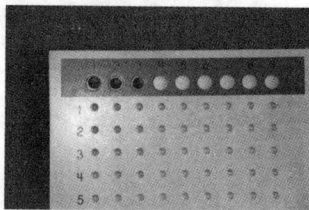

图 3-37

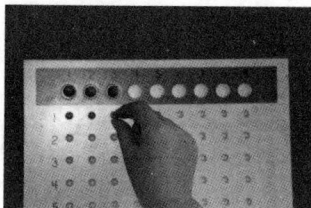

图 3-38

变化延伸　可为除法板配上题目卡。

错误控制　除法板的珠子，除法订正板。

兴趣点　变化形式的计算。

指导用语　我们来做一道除法题，题目是×除以×，得数是×。

注意事项

1. 81 粒绿色的珠子是被除数，9 个绿色的小人是除数，除法板左侧 1～9 的数字是得数。

2. 此项工作可由两名幼儿合作完成。

(十三)工作名称：蛇形加法

第一次展示：整十的蛇形加法

工作前经验　已有整十的蛇形加法操作经验或年龄在 5 岁以上。

操作材料　彩色串珠梯 2 套、黑白串珠梯 2 套、金色串珠 10 串 10、小盒子 3 个、小桥 1 个、棉布(40 厘米 ×40 厘米)1 块、托盘 1 个。

工作目的

1. 直接目的：练习连加的计算。

2. 间接目的：为幼儿做蛇形加法做准备。

工作步骤

1. 介绍工作名称，用彩珠摆出小蛇"$9 + 4 + 5 + 7 + 6 = $"。

2. 拿小桥从左往右数彩珠到 10 停，拿金色串珠 10 换彩珠。小桥后面拿不走的取相等的黑珠代替，彩珠放右侧，拿小桥从黑珠开始切数，数到 10 停换金珠，黑珠送回原处。

3. 用此法数出总数，整理答案，检查订正、验算。彩珠从长到短放好，用彩珠合十，若出现没有的彩珠可用其他彩珠替换回需要的彩珠。

4. 收教具，结束。

变化延伸

1. 为幼儿制作蛇形加法小书。

2. 让幼儿自己制作蛇形加法小书。

错误控制　彩色串珠本身的颜色和数量，幼儿对量合成的理解。

兴趣点　数形结合的方式。

指导用语　蛇形加法；彩色串珠梯；所涉及的数名；彩色串珠满 10 了，我们用金色串珠 10 来替换，剩下的用黑白串珠来代替；彩色小蛇变成了一条金色的小蛇，我们来数一数它一共有多少。

注意事项

1. 此次展示时的小蛇是特殊摆放的，每 2 或 3 串彩色串珠梯加起来的得数必须是 10。

2. 彩色串珠代表加数，金色串珠和留在小蛇最末尾的黑白串珠代表得数。

3. 计算时在小蛇中间的黑白串珠是替代没有被小桥切数的彩色串珠，并不参与实际计算。

4. 每页蛇形加法小书的背面要有得数。

第二次展示：任意数的蛇形加法

工作步骤　以加法小蛇"$1 + 7 + 8 + 2 + 9 + 3 + 4 = $"为例(图 3-39)。

1. 用彩珠摆出小蛇（图3-40），拿小桥从左往右数彩珠到10停，拿金色串珠10换彩珠。小桥后面拿不走的取相等的黑珠代替，彩珠放右侧，拿小桥从黑珠开始切数，数到10停换金珠，黑珠送回原处。

2. 用此法数出总数，整理答案，检查订正、验算。彩珠从长到短放好，用彩珠合十，若出现没有的彩珠可用其他彩珠替换回需要的彩珠。

3. 收教具，结束。

指导用语 蛇形加法；彩色串珠梯；所涉及的数名；彩色串珠满10了，我们用金色串珠10来替换，剩下的用黑白串珠来代替；彩色小蛇变成了一条金色的小蛇，我们来数一数它一共有多少。

视频资源

任意数的蛇形加法

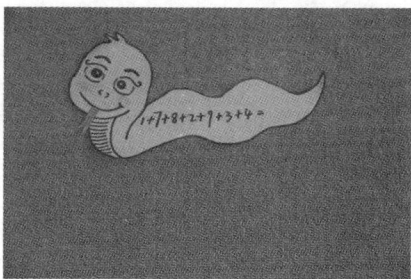

图 3-39

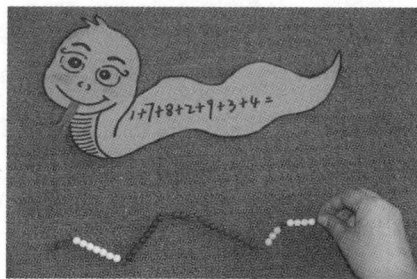

图 3-40

说明：其他内容同本工作第一次展示。

（十四）工作名称：蛇形减法

工作前经验 已有蛇形加法操作经验或年龄在5岁以上。

操作材料 彩色串珠梯2套、黑白串珠梯2套、灰黑串珠梯2套、金色串珠10串10、小盒子4个、小桥1个、棉布1块、托盘1个。

工作目的

1. 直接目的：让幼儿练习加减混合计算。

2. 间接目的：略。

工作步骤：

1. 介绍工作名称，取教具。

2. 用彩色串珠与灰黑串珠摆一条小蛇"$7+1-2+3-8+5-4=$"，所有的减数用灰珠摆，拿小桥数，数到10用金色串珠10替换彩珠，拿不走的彩珠用黑白珠代替。数过的彩珠放右侧，再从黑珠开始点数，数到10停换金珠10，黑珠送回原处。遇到灰珠，"灰珠表示减去，我们折回去往回数"，把灰珠放前面数过的珠子上方同步往回数，剩下的珠子用黑珠代替，数过的灰珠放彩珠下方，像这样数出答案。

3. 准备验算：灰珠放结果下方，彩珠从长到短排好，先验灰珠，再验结果。

4. 收教具，结束。

变化延伸

1. 为幼儿制作蛇形减法小书。

2. 让幼儿自己制作蛇形减法小书。

指导用语 蛇形加减法；彩色串珠梯；黑白串珠；灰黑串珠；所涉及的数名；彩色串珠满 10 了，我们用金色串珠 10 来替换，剩下的用黑白串珠来代替；小蛇生病了；彩色小蛇变成了一条金色的小蛇，我们来数一数它一共有多少。

注意事项

1. 此次展示时的小蛇是特殊摆放的，但要保证彩色串珠在总量上比灰黑串珠多。彩色串珠是被减数，灰黑串珠是减数，金色串珠是得数，如果有黑白串珠留在小蛇最末尾，则金色串珠与黑白串珠共同组成最后的得数。

2. 计算时在小蛇中间的黑白串珠是替代没有被小桥切掉的彩色串珠，或减去灰黑串珠时所代表的量，黑白串珠并不参与实际计算。

3. 每页蛇形减法小书的背面要有得数。

4. 此次展示的形式最好是个别指导。

说明： 其他内容同工作"蛇形加法"。

（十五）工作名称：点的游戏

第一次展示：不进位的加法

工作前经验 已有银行游戏、邮票游戏的操作经验或年龄在 5.5 岁以上。

操作材料 点的游戏计算纸 1 张（图 3-41），绿色、蓝色、红色铅笔各 1 支，题卡若干。

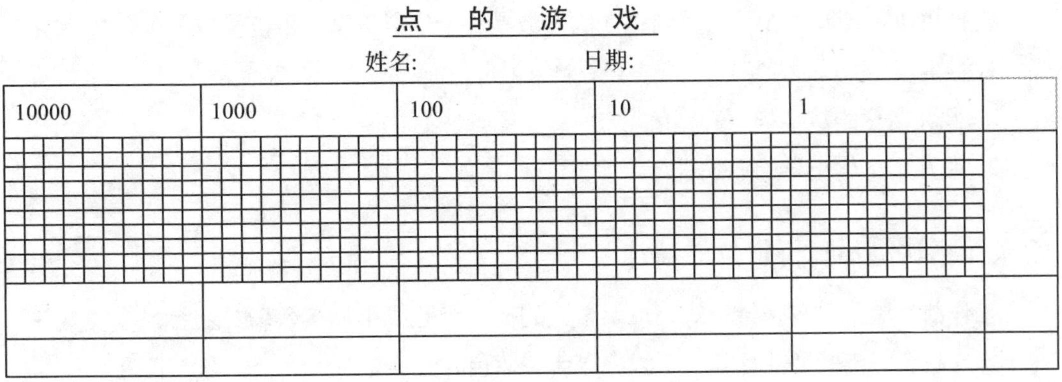

点 的 游 戏

姓名：　　　　　日期：

10000	1000	100	10	1

图 3-41　点的游戏计算纸

工作目的

1. 直接目的：

（1）练习较大数目的加法。

（2）更为抽象地进行加法运算。

2. 间接目的：

（1）提高幼儿数学计算的速度和精确性。

（2）促进幼儿数学心智的发展。

工作步骤

1. 介绍工作名称，取教具。

2. 选题卡，如"2337 + 3212 ="，在计算纸最右侧将该题卡的计算竖式写好（个位用绿色，十位用蓝色，百位用红色，千位用绿色，万位用蓝色）。

3. 绘制 2337 的点，从右侧个位用绿色铅笔由上至下点 7 个点，十位用蓝色铅笔由上至下点 3 个点，依次点到千位。

4. 同步骤 3 的方法绘制 3212 的点。

5. 绘制完后从个位由上至下，由右至左点数总数。个位得数是 9，十位得数是 4，百位得数是 5，千位得数是 5，所以最后结果是 5549，结果写在计算纸的最下面一行。

6. 与题卡背面的得数进行比较检验，收教具，结束。

变化延伸

1. 加法进位的计算，进位表示的方法：以个位向十位进一为例，在计算纸个位的倒数第二行画一个向左的箭头到十位，"我们用这 10 个 1 换 1 个 10"，画掉个位满 10 的绿色点，在十位增加一个红色点。其他数位的进位方法与此相同。

2. 乘法的计算即一个数重复画几遍，计算方法同加法。

错误控制　题卡背面的得数。

兴趣点　计算的形式。

指导用语　计算中涉及的数名；个位得数是；十位得数是；百位得数是……

注意事项

1. 循环变化的数字与点的颜色。

2. 最好用个体指导的形式进行。

📦 第二次展示：不借位的减法

工作前经验　已有银行游戏、邮票游戏的操作经验或年龄在 5.5 岁以上。

操作材料　点的游戏计算纸 1 张，绿色、蓝色、红色铅笔各 1 支，题卡若干。

工作目的

1. 直接目的：

（1）练习较大数目的减法。

（2）练习更为抽象的减法运算。

2. 间接目的：

（1）提高幼儿数学计算的速度和精确性；

（2）促进幼儿数学心智的发展。

工作步骤

1. 介绍工作名称，取教具。

2. 选题卡，如"2337 - 1205 = "，在计算纸最右侧将该题卡的计算竖式写好（个位用绿色，十位用蓝色，百位用红色，千位用绿色，万位用蓝色）。

3. 绘制2337的点，从右侧个位用绿色铅笔由上至下点7个点，十位用蓝色铅笔由上至下点3个点，依次点到千位。

4. 画掉1205的点，个位上减去5，则个位由上至下画掉5个点；剩下2个点，则个位得数为2，十位上减去0，不用画掉点，十位得数是3，百位上减去2，百位画掉2个点；剩下1个点，百位得数是1，千位上减去1，千位画掉1个点，剩下1个点，千位得数是1，所以最后结果是1132。

5. 与题卡背面的得数进行比较检验，收教具，结束。

变化延伸 借位的减法，表示方法：以百位向十位借位为例，"十位上不够减向百位借1个100，我们把这1个100换成10个10"。用向右的箭头从百位画到十位，百位画掉1个红点，十位点上10个蓝点，其他数位借位同此法。

错误控制 题卡背面的得数。

兴趣点 计算的形式。

指导用语 计算中涉及的数名；我现在画……的点；个位上减去××。

注意事项 同点的游戏加法计算。

五、数学领域"分数和平方立方的导入"教具操作活动

（一）工作名称：分数小人

教具构成 1/1是原木色跳棋状、1/2是2个红色1/2跳棋状、1/3是3个黄色1/3跳棋状、1/4是4个蓝色1/4跳棋状、底座是1个带有4个凹槽的原木色长方形。

第一次展示：感官展示

工作前经验 4岁以上。

操作材料 分数小人。

工作目的

1. 直接目的：通过视觉和触觉让幼儿感受一个整体可以被分解成几部分。

2. 间接目的：为幼儿将来学习分数做准备。

工作步骤

1. 介绍工作名称，小人竖放在工作毯上。

2. 拿起1完整感知，请幼儿感知，"这是一个完整的分数小人，老师把它分成两部分，比比看一样大吗？"

3. "这是一个完整的分数小人，老师把它分成三部分，比比看一样大吗？"

4. "这是一个完整的分数小人，老师把它分成四部分，比比看一样大吗？"

5. 收教具，结束。

变化延伸

1. 重新展示建构三角形的三角形盒，让幼儿发现两者之间的联系。

2. 在生活中寻找有整体与部分关系的物体。

错误控制　分数小人本身的颜色和大小。

兴趣点　将1分成几部分的操作过程。

指导用语　分数小人；这是一个完整的分数小人；这是一个完整的分数小人，它可以被分成2/3/4个部分，它们是一样大的。

注意事项　尽量采取个别展示的方式。

第二次展示：与底座卡的配对

工作前经验　4岁以上。

操作材料　分数小人，与分数小人对应的1/1（1张）、1/2（2张）、1/3（3张）、1/4（4张）的底座卡。

工作目的

1. 直接目的：能将分数小人和底座卡正确配对。

2. 间接目的：同本工作第一次展示。

工作步骤

1. 介绍工作名称，取教具，竖放分数小人。

2. 触摸第一个小人，打开小人与底座形式卡配对，依次将剩下的配对。

3. 收教具，结束。

变化延伸

1. 制作透明的底座卡。

2. 让幼儿自制底座卡。

错误控制　分数小人与底座卡的一一对应。

兴趣点　配对的过程。

指导用语　分数小人；底座卡；这是一个完整的分数小人；它可以被分成2/3/4个部分，它们是一样大的。

说明：其他内容同本工作第一次展示。

第三次展示：与分数卡的配对

工作目的

1. 直接目的：让幼儿初步接触分数的书写和朗读，理解分数所代表的含义。

2. 间接目的：略。

工作步骤

1. 介绍工作名称，取教具，竖放分数小人。

2. 触摸感知第一个小人，这是一个完整的分数小人，它的名字叫1/1，放分数卡片。

3. 依次分别命名，放分数卡片。

4. 完整进行三阶段教学。

5. 收教具，结束。

变化延伸 幼儿自制分数卡片。

错误控制 每个分数小人被分成的份数。

兴趣点 配对的过程。

指导用语 分数小人；底座卡；这是一个完整的分数小人，它被分成两个部分，它们是一样大的，名字叫二分之一……

说明：其他内容同本工作第一次展示。

（二）工作名称：平方珠链（认识5的平方）

工作前经验 已有100串珠链操作经验或年龄在5岁以上。

操作材料 5的平方珠链1条，5的平方片1片，小桥1个，自制数字卡片(1、2、3、4、5、10、15、20、25)，小盒子1个(上有标签)。

工作目的

1. 直接目的：认识数字5的群数。

2. 间接目的：

(1)为幼儿学习十进位系统做准备；

(2)锻炼幼儿思维和肢体动作的精确性。

工作步骤

1. 介绍工作名称，取教具，将5的平方珠链拉开并摆放在工作毯中间。

2. 从1开始数珠片，数到5时，请幼儿将数字卡片5摆放到相对应的串珠旁边(摆放方法同100串珠链)。

3. 依此方法数到25，放数字卡片25。

4. 邀请幼儿按顺序指读数字卡片。

5. 小心地将串珠链折成正方形，与5的平方珠片叠放比较，"1串5被重复了5次，也就是5×5，结果就是25，也叫作5的平方。"边说边把等式写下来：$5 \times 5 = 25 = 5^2$。

6. 分类收回教具，结束。

变化延伸 切数平方珠链上其他的平方链。

错误控制 5 的平方链与数字卡片的对应，幼儿数数的能力。

兴趣点 数的多变性。

指导用语 5 的平方链；5 的平方片；所涉及的数名。

注意事项

1. 要从右至左切数珠链。

2. 自制数字卡片的颜色要与珠链的颜色相同。

（三）工作名称：立方珠架（认识 5 的立方）

工作前经验 已有 100 串珠链操作经验或年龄在 5 岁以上。

操作材料 5 的立方链 1 条，5 的平方片 5 片，5 的立方块 1 块，小桥 1 个，自制数字卡片（1、2、3、4、5、10、15…125），小盒子 1 个（上有标签）。

工作目的

1. 直接目的：认识数字 5 的群数。

2. 间接目的：同"平方珠链（认识 5 的平方）"。

工作步骤

1. 介绍工作名称，取教具，将 5 的立方珠链摆放在工作毯中间。

2. 切数，摆数字卡片，每当数到平方的位置会出现一个较大的铁环作为提醒，此时在铁环处放置 1 片 5 的平方珠片。

3. 邀请幼儿按顺序指读数字卡片。

4. 将串珠链由右至左推折，每到 5 串就形成一个 5 的平方珠片的形状。拿一块 5 的平方珠片进行对比，直到折叠完毕，形成一个平铺的长方形，将 5 块平方珠片平铺叠放至上比较，发现二者是相同的。

5. 将 5 片平方珠片叠放，边叠边数："1 个 5 的平方，2 个 5 的平方……"叠成立方体与 5 的立方珠块比较。"5 个 5 的平方等于一个 5 的立方珠块，也叫 5 的立方"，边说边将等式写下来并解说："5×5 是 5 的平方，5 个 5 的平方就是 5 的立方。也就是 $5 \times 5 \times 5 = 125 = 5^3$。"

变化延伸 切数立方珠架上其他的立方链。

错误控制 5 的立方链与数字卡片的对应，幼儿数数的能力。

兴趣点 数的多变性。

指导用语 5 的立方链；5 的平方片；5 的立方块；所涉及的数名。

注意事项

1. 从右至左切数珠链。

2. 自制数字卡片的颜色要与珠链的颜色相同。

实训经验分享

自制蒙氏材料（自制蒙氏教具，以数学领域为例）（图3-42至图3-47）

图3-42　名称：魔法花朵（请你算一算）
目的：10以内的加法运算练习

图3-43　名称：青蛙过河（请你找一找）
目的：数序的巩固和强化

图3-44　名称：衣服上的花朵（请你画一画）
目的：数与量的对应

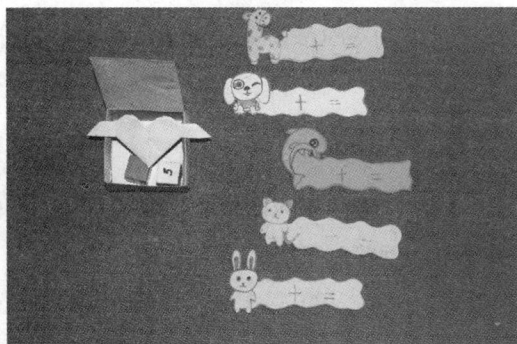

图3-45　名称：动物题卡（请你想一想）
目的：自己设计题目计算

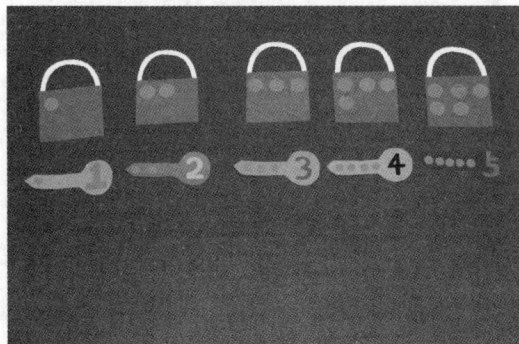

图3-46　名称：钥匙不见了（请你找一找）
目的：数与量的对应

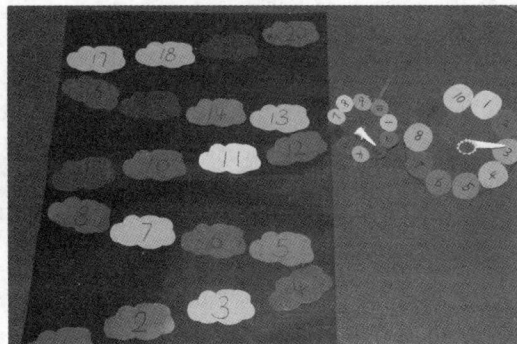

图3-47　名称：比比谁先到终点（请你跳一跳）
目的：数概念的巩固和强化

实训目标

1. 掌握蒙台梭利教具的规律及操作目标。

2. 能自制蒙台梭利教具。

3. 具有灵活地、个性化地进行蒙台梭利教育的素养。

实训准备

手工制作用品。

实训步骤

1. 选择一项数学教具，根据蒙台梭利数学领域教具的规律及目标，制作延伸活动或自主操作环节使用的材料。

2. 以学习小组为单位，完整展示操作过程，注意介绍自制教具的错误控制功能。

3. 结合使用情况进行自我评价。

4. 组间评价，提出修改意见。

5. 教师从蒙台梭利自制教具的特点的角度进行评价总结，提出修改意见。

6. 实训小组根据反馈意见继续修改提升，修改后在班级自制蒙氏教具展览区进行展览分享。

实践案例诊断

扫描二维码观看岗位工作实录视频"数学领域：100 串珠链"，并思考和回答以下问题。

1. 视频中 100 串珠链的学习体现了蒙台梭利数学领域教育的哪些特征？

2. 试对视频中教师的教育行为进行点评。

视频资源

100 串珠链

项目四　蒙台梭利语言领域工作

工作导图

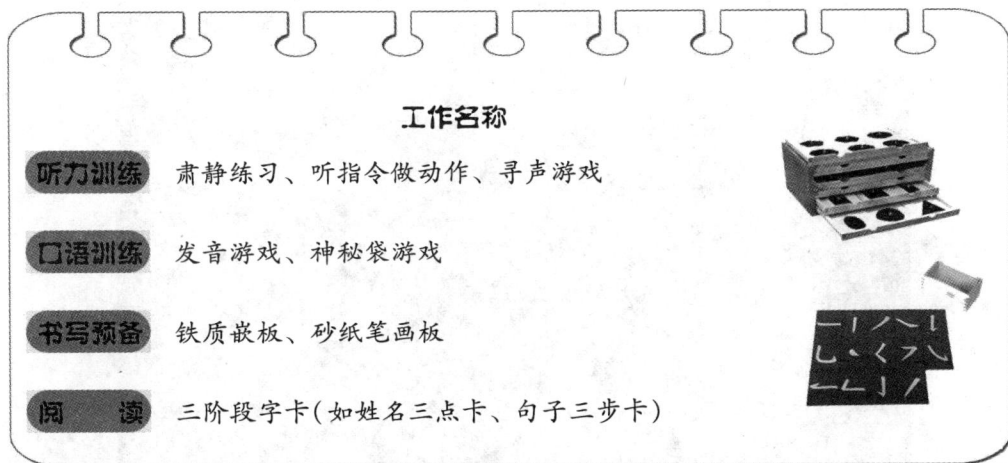

工作名称

听力训练	肃静练习、听指令做动作、寻声游戏
口语训练	发音游戏、神秘袋游戏
书写预备	铁质嵌板、砂纸笔画板
阅　　读	三阶段字卡(如姓名三点卡、句子三步卡)

一、蒙台梭利语言领域听力训练部分教具操作活动

蒙台梭利曾说：当各种不同的声响杂乱地传进儿童的耳朵里时，某些富有魅力和吸引力的声音被突然而又清晰地听到了。这时尚未有推理能力的心灵听到了一种音乐，这种音乐充满了他的整个世界。

(一)工作名称：肃静练习(静默游戏)

教具构成　哨子。

工作前经验　2.5 岁以上。

工作目的

1. 直接目的：使儿童学会安静，养成认真倾听的习惯。

2. 间接目的：培养幼儿为达到宁静所必需的人际协调能力。

工作步骤

1. 向幼儿介绍"我们要进行一个特别的游戏"，接着教师让自己的头或是手、脚等(自己认为最轻松、最容易开始的部位)不动。请孩子注意观察并模仿：自然放松身体，保持全身静止不动数秒。

2. 请幼儿练习，注意给其明确开始和结束的信息。例如，当教师吹响哨子便开始，就必须不动；当教师弹指(或以双唇轻弹一声)就表示结束。

3. 按照刚才约定的信息让幼儿重复练习，在此过程中教师也必须和孩子一样保持静止不动。

4. 更换不同的身体部位，同步骤1~3的方式继续进行。

5. 根据幼儿的兴趣以及能保持肃静的耐力，变换不同的身体部位，最后练习全身不动，并且逐渐加长静止的时间(图4-1)。

图 4-1

变化延伸

1. 和幼儿进行带有肢体名称的儿歌律动，如："头、肩膀、膝盖脚……""一个拇指动一动……""左三圈、右三圈，脖子扭扭、屁股扭扭……"来加强幼儿对肢体的意识和控制。

2. "123，木头人"：这是一个传统的团体游戏，4岁以上的幼儿就可以玩得很好，也可以变化成"123，机器人""123，睡美人"等。让幼儿练习控制不动一段时间。

3. 模仿布偶：请幼儿模仿他喜爱的布偶，这是2岁多幼儿就可以做的活动，但能够控制不动的时间以及模仿的深刻性，会随着孩子的年龄和观察力而有很大的差异。

错误控制　儿童相应身体部位动了。

兴趣点　保持静止不动。

注意事项

1. 提示时间可以渐渐延长。

2. 肃静游戏是肃静练习的导引，教师要把握好肃静练习的时机。

(二)工作名称：听指令做动作

教具构成　相关动作指令卡。

工作前经验　3岁以上。

工作目的

1. 直接目的：培养听觉专注力、训练反应能力。

2. 间接目的：认识五官及身体各部分。

工作步骤

1. 邀请一组幼儿围坐在室内地板的线上。

2. 教师要视幼儿对身体的认识能力，进行难度调节。必要时，教师边发出指令，边示范。

3. 教师逐一发出动作指令，如"请摸摸你的头""请摸摸你的肩""请指一指眼睛（耳朵、鼻子、嘴巴）在哪里"，请幼儿按照指令指示身体相应的位置。

4. 等幼儿熟悉活动后，教师可变换指令和方式，增加难度与趣味性，如根据指令做相反动作的游戏。

5. 请一名幼儿发出指令，其他幼儿做动作。

变化延伸　根据儿歌卡做听指令做动作的活动：

1. 准备《小螺号》的儿歌卡及相关动作指令卡。

2. 请幼儿手拉手围成一个圆圈按预定的方向走，边走边唱儿歌。唱完一遍后，老师拿出一张动作指令卡，请一名幼儿做动作，再拿出第二张指令卡，依次进行。

错误控制　指令卡。

兴趣点　依据指令做动作。

注意事项

1. 可请幼儿通过互相帮助完成活动，锻炼幼儿的协作能力（图4-2）。

图 4-2

2. 在发出指令让孩子做动作时，应注意安全，防止幼儿间发生冲突或身体冲撞。

（三）工作名称：寻声游戏

教具构成　眼罩。

工作前经验　2.5岁以上。

工作目的

1. 直接目的：锻炼幼儿辨别声音方位的能力。

2. 间接目的：提高幼儿的专注力、思考力和反应能力。

工作步骤

1. 请幼儿持多件相同的乐器围成一圈。

2. 另请一名幼儿戴上眼罩站在圈中。

3. 教师请站在不同方位的幼儿奏响乐器（每次只请一名）。

4. 请戴眼罩的幼儿辨别声音的方位。

变化延伸　准备多种乐器，做声音的配对，"这是哪种乐器发出的声音？"找声音发出的方位。

错误控制　声音发出的位置。

兴趣点　依据声音辨别方位。

注意事项

1. 开展活动的时候，要避免不安全因素，以免戴眼罩的幼儿被绊倒。

2. 每轮活动只请一名幼儿发出声音，其他幼儿要保持安静，以保证戴眼罩者能更准确地判断声音发出的方位。

二、蒙台梭利语言领域口语训练部分教具操作活动

蒙台梭利曾说：如果一个人考虑到人类语言的魅力，他就一定会承认没有掌握正确口语的人是低等的。如果没有专门去完善口头语言，那么一种美学概念上的教育就是不可想象的。

（一）工作名称：发音游戏（指物发音）

教具构成　幼儿生活中熟悉的物品。

工作前经验　幼儿学习过声母和韵母。

工作目的

1. 直接目的：通过游戏和环境练习，加强幼儿的发音能力。

2. 间接目的：提高幼儿的语言表达能力。

工作步骤

1. 教师说："今天我带大家观察咱们的室内和室外环境，请你们排好队，跟着我，我指一件物品，你们就告诉我它是以什么音开头的。"

2. 教师带领小朋友们慢慢从教室的一头开始走,教师指着棕色梯:"谁能告诉我这是什么? 它的首字母发音是什么?"

3. 继续进行活动,注意,教师指的物品一定是孩子们知道名称的。

4. 延伸活动:利用单音编故事。"我打算到商店去买 t(出示 t 的卡片),它很甜,……"请幼儿说出以声母 t 开头的字或词(图4-3)。

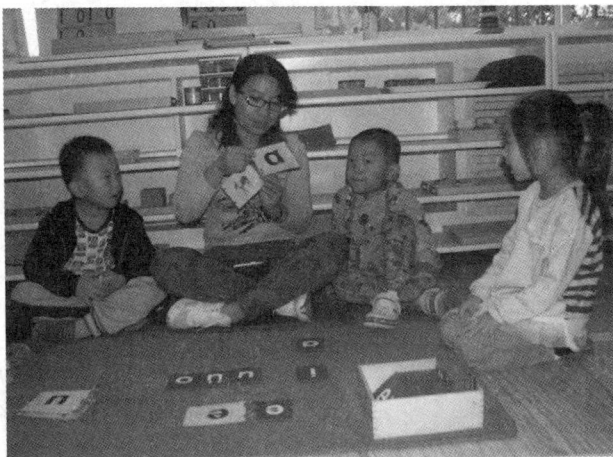

图4-3

变化延伸 变化指认的实物。

错误控制 幼儿的辨音意识。

兴趣点 发音。

注意事项 教师不能强制性纠错。

(二)工作名称:神秘袋游戏

教具构成 自制神秘袋,袋中物品是生活中常见的,此次活动里面装的是水果。

工作前经验 3 岁以上。

工作目的

1. 直接目的:词汇练习、口语表达练习。

2. 间接目的:提高幼儿语言表达能力。

工作步骤

1. 教师将装有物品的神秘袋摆在工作毯上,对幼儿说:"我这里有一个漂亮的神秘袋,你们想知道里面装了什么吗?"

2. 请一名幼儿将手伸进神秘袋里,摸一摸,猜猜是什么。

3. 利用三阶段教学法进行活动:

命名:从袋子里取出摸到的物品,如一个苹果,向幼儿说明"这是苹果",接着取出梨、香蕉、葡萄,并进行命名。

辨别:请回答或做出相应动作,"请你指一指哪个是苹果?""香蕉在哪里?""请你把梨递给我好吗?"

发音:指着不同的水果请幼儿回答"这是什么"。

变化延伸

1. 更换袋子中的物品,如几何立体等教具,让幼儿辨别物品的大小、形状等。

2. 配合语音学习,进行辨音指物的练习(图4-4),如"哪种水果名字的第一个字的发音有'p'(葡萄)?"

错误控制 幼儿的辨音能力。

兴趣点 放在神秘袋里的物品。

注意事项

1. 教师可用语气营造神秘的氛围,提高幼儿对活动的兴趣,使其会喜欢从神秘袋中摸取物品。

2. 如果幼儿一时回答不出问题,要引导他积极思考,不要急于告诉他答案。

3. 活动过程中要注意丰富幼儿的形容词,如酸酸的、甜甜的、香香的等。

图4-4

三、蒙台梭利语言领域书写预备部分教具操作活动

蒙台梭利曾说:儿童时期是运动机能的敏感期,它们能够很快地听从大自然在冥冥中所做的指示……我们必须找出书写机制定型的年龄,以便让它们能够很自然地、毫不费力地建构起来……这当然不可能是指在小学里试着刺激其书写机制的时候,此时动作已经定型的小手已丧失了动作的敏感性,这双小手已错过了动作协调的良机。因此,我们必须回头去找那双动作协调却很柔软的幼儿的手。

(一)工作名称:铁质嵌板

教具构成

1. 铁质嵌板分两组,分别由5个曲线型图形和5个直线型图形组成,它们被放在两个基座上。

2. 一个中等大的托盘，夹有纸张的纸夹，装有彩色铅笔的彩色笔筒和笔座。

视频资源

铁质嵌板

工作前经验　3.5 岁以上。

工作目的

1. 直接目的：

(1)学习怎样正确握笔。

(2)学习书写时正确的坐姿及动作要领。

(3)培养秩序感、专注力、协调性和独立性。

2. 间接目的：

(1)培养手眼的协调能力。

(2)掌握各种不同形状的名称。

(3)培养美感。

(4)为学习几何做准备。

工作步骤

1. 告诉幼儿："今天我们来做绘图的工作。"

2. 带幼儿到工作架前，拿托盘，并把绘图需要用到的工具都放在托盘里。包括：铅笔、笔座、绘图座、纸夹、圆形铁质嵌板。

3. 一般先选择 3 支彩色铅笔，放在笔座上，笔尖向外，然后把托盘拿到桌子上。

4. 从托盘里拿出纸放到桌子上，然后把圆形嵌板的外框放在纸的正中央。

5. 拿起铅笔，向幼儿示范正确的握笔姿势。

6. 教师左手按住圆形嵌板的外框，从框上"九点"的标注位置起笔，顺时针方向描画一圈。

7. 介绍这个几何图形。

8. 将铅笔和外框归位。

9. 拿起圆形嵌板，放到刚才画好的轮廓上。

10. 取另一支彩色铅笔沿着嵌板描绘。

11. 将教具归位。

12. 取用另一种颜色的铅笔，描绘两个圆形中间的位置。

13. 将描绘完的图形放到个人纸张作业箱中。

14. 教具全部放回架上。

15. 邀请幼儿重新操作。

变化延伸

1. 运用其他形状嵌板进行练习。

2. 填充圆形轮廓。

3. 组合运用不同形状的嵌板进行练习。

4. 熟练运用嵌板框。

5. 绘制花样图形(图4-5)。

6. 制作铁质嵌板小册子。

错误控制　辨音。

兴趣点　发音。

注意事项

1. 如果幼儿在填涂时有困难,可以将框架放在纸上,以便更好地画线。

2. 对于刚学书写的幼儿来说,采用正确的握笔方法较困难,教师可以允许幼儿用自己的方法进行操作。

3. 铁质嵌板的工作可以持续几个月,在操作过程中教师必须注意保持幼儿的兴趣,以使他们的技能不断得到提高。

4. 在第一次操作时,可以用黑色的铅笔,以便使图形突出。

5. 铁质嵌板内部比框架难些,所以一般从框架开始操作。

6. 幼儿运笔能力增强后,教师可以引导他们练习一笔画完一个简单的图案。

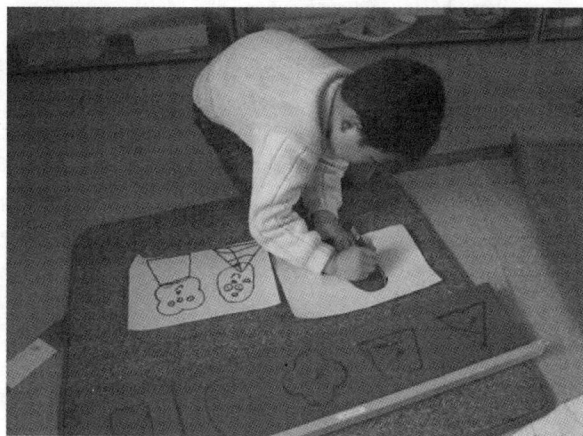

图4-5

(二)工作名称:砂纸笔画板

教具构成　砂纸笔画板:由31个手写体笔画组成,将黑色砂纸或者其他毛绒材料固定在白色纤维板上制成。笔画包括:①点、横、竖、撇、捺、提;②竖钩、弯钩、竖折、斜钩、卧钩、竖弯、竖弯钩、竖提、横钩、横折、横撇、撇折、撇点;③横折钩、横折弯钩、横斜钩、横折提、横折折撇、横撇弯钩、横折折、横折折折钩、横折弯、竖折折、竖折折钩、竖折撇(图4-6)。

工作前经验　4.5岁以上。

工作目的

1. 直接目的:通过描摹笔画,让肌肉记忆汉字的书写顺序和结构。

2. 间接目的：为书写汉字做准备。

工作步骤

1. 拿出 3 块砂纸笔画板，字面朝下置于桌面。

2. 将 1 块笔画板翻转过来，左手扶板，右手的食指和中指并拢描摹笔画，从笔画的上部开始，边描写边重复发音。

3. 邀请幼儿描摹这个笔画。

4. 将砂纸笔画的正面朝下，移动到右上角。

5. 继续进行。

6. 运用三阶段教学法，使幼儿了解笔画。

图 4-6

变化延伸　用沙箱练习书写笔画。

错误控制　视觉辨别。

兴趣点　描摹笔画的过程。

指导用语　笔画的名称。

注意事项　训练要适度，尽量游戏化。

四、蒙台梭利语言领域阅读部分教具操作活动

蒙台梭利曾说：当孩子用眼睛阅读文字时，他也正用想象力阅读世界，用细腻的心阅读人生。

（一）工作名称：姓名三步卡

教具构成　姓名三步卡：控制卡由幼儿的照片和姓名组成、图片卡是幼儿的照片、名称卡是幼儿的名字。

工作前经验　3 岁以上。

工作目的

1. 直接目的：认识自己与同伴的姓名。

2. 间接目的：建立前识字经验，为阅读做准备。

工作步骤

1. 将控制卡从左至右、从上至下在工作毯左上方进行排列，边放边念出每张卡片上的名字(图4-7)。

2. 把图片卡分发给幼儿，让幼儿进行图片卡与控制卡的配对。

3. 取出名称卡，分发给幼儿，让他们配对，并念出卡上的名字。

4. 进行三阶段教学。

5. 拿走控制卡，打乱图片卡与名称卡的顺序，重新配对。

6. 全部认读完毕后，请幼儿拿名称卡与本人配对。

7. 幼儿独立工作，教师在旁边观察。

变化延伸　制作班级成员小书或古诗三步卡。

错误控制　视觉辨别。

兴趣点　配对的过程。

指导用语　班级幼儿姓名。

注意事项　教师应让幼儿参与姓名三步卡的制作过程。

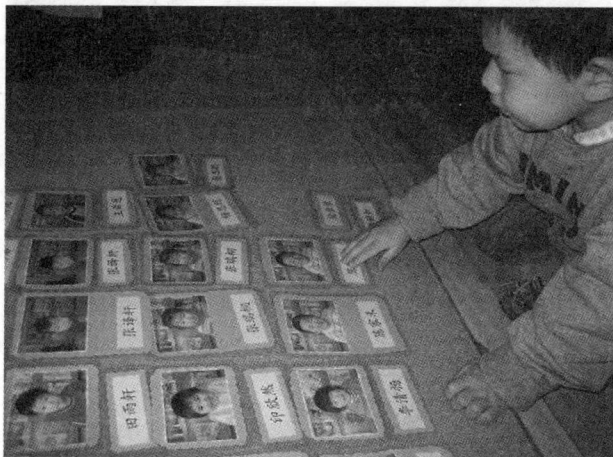

图 4-7

(二)工作名称：句子三步卡

教具构成　句子三步卡若干。

工作前经验　4 岁以上。

工作目的

1. 直接目的：理解句意，进入初步阅读阶段。

2. 间接目的：丰富幼儿的早期阅读经验。

工作步骤

1. 告诉幼儿："今天我们要进行句子三步卡的工作。"

2. 把教具拿到工作毯上。

3. 先把控制卡按纵列排好。

4. 拿出图片卡，分发给幼儿，让他们进行配对。

5. 拿出句子卡，分发给幼儿，让他们进行配对（图4-8）。

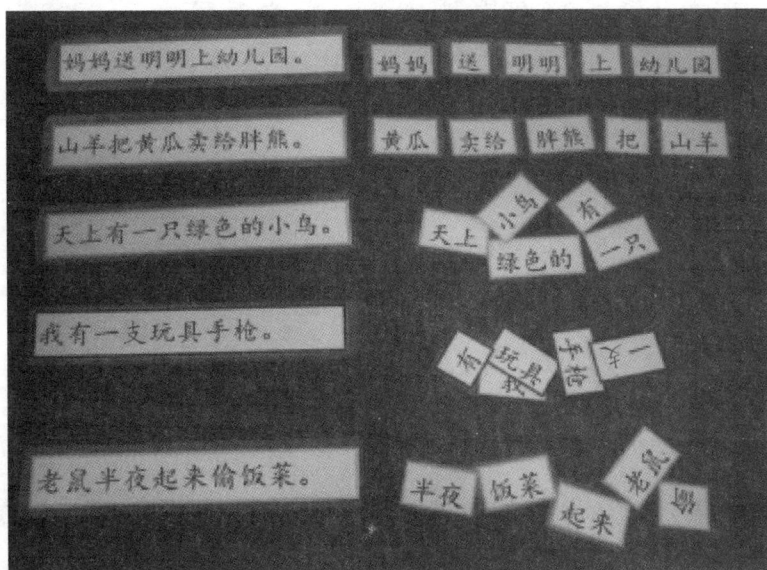

图4-8

6. 请幼儿试着阅读句子卡上的句子，再阅读控制卡上的句子，看是否一致。

7. 进行三阶段教学。

8. 收起控制卡，打乱图片卡和句子卡的顺序，进行图片卡和句子卡的配对。

9. 收起图片卡，让幼儿读句子卡。

10. 试读句子卡，并按句子内容找出相应的图片。

变化延伸 句子拼图。

错误控制 视觉辨别。

兴趣点 配对的过程。

指导用语 句子卡上的句子。

注意事项 教师应让幼儿参与卡片制作过程。

（三）工作名称：补充句子

教具构成

1. 图片若干。

2. 根据图片书写句子，并剪去主要表达图片内容的词语或短语。

工作前经验 4岁以上。

工作目的

1. 直接目的：加强幼儿对图文的理解能力，锻炼幼儿根据图意写句子的能力。

2. 间接目的：丰富幼儿的早期阅读经验。

工作步骤

1. 告诉幼儿："现在我们来练习把句子补充完整。"

2. 拿出图片，纵向摆好。

3. 拿出句子卡，放在适合的图片右方。

4. 拿出词语或短语卡片，让幼儿把句子补充完整(图4-9、图4-10)。

5. 重新阅读已补充完整的句子。

6. 让幼儿表达为什么把那个词语放在那个句子上面。

变化延伸　由图片卡、句子卡、短语或词语卡片过渡到句子卡和短语(词语)卡片。

错误控制　视觉辨别。

兴趣点　配对的过程。

指导用语　卡片上的句子。

注意事项　教师应让幼儿参与卡片制作过程。

图4-9

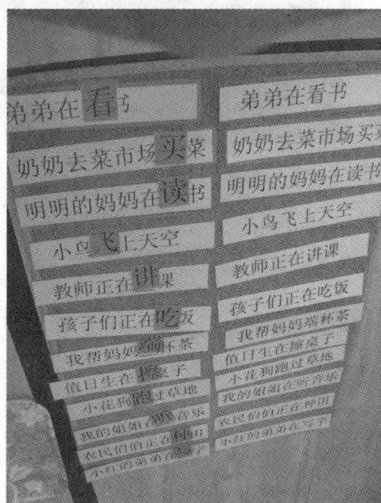

图4-10

(四)工作名称：偏旁部首三步卡

教具构成　偏旁部首三步卡若干(图4-11)。

工作前经验　5岁以上。

工作目的　了解汉字的偏旁部首，为书写做准备。

工作步骤

1. 告诉幼儿："今天我们要进行偏旁部首三步卡的工作。"

2. 把教具拿到工作毯上。

3. 先把字卡摆好。

4. 拿出部首卡，按顺序摆好，让幼儿进行字卡与偏旁部首卡的配对。

5. 进行三阶段教学。

6. 收起控制卡，打乱部首卡的顺序，进行偏旁部首卡和字卡的配对。

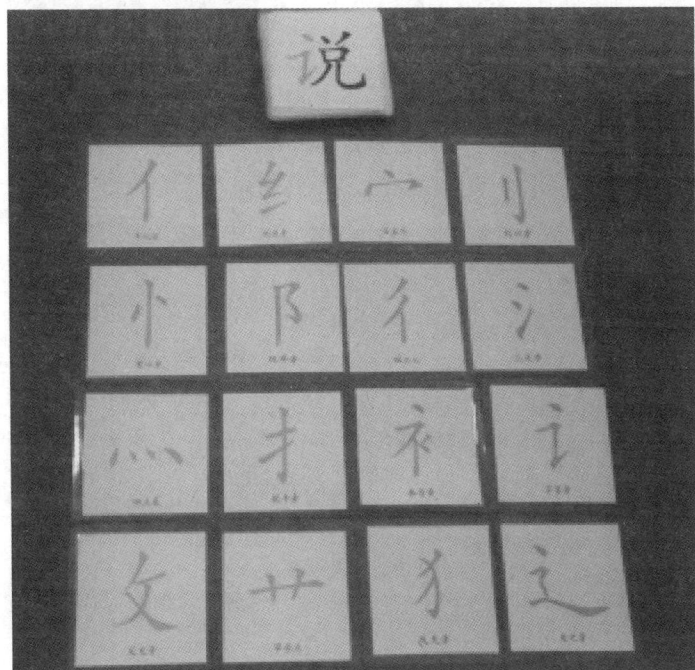

图 4-11

（五）工作名称：词语配对三步卡

教具构成　词语三步卡若干(图4-12)。

工作前经验　4岁以上。

工作目的　通过对常见固定搭配的词语进行配对练习，熟练掌握汉字。

工作步骤

1. 告诉幼儿："今天我们要进行词语配对三步卡的工作。"

2. 把教具拿到工作毯上。

3. 先把控制卡按纵列排好。

4. 拿出控制卡，分发给幼儿，让他们进行配对。

5. 拿出字卡，分发给幼儿，让他们进行配对。

6. 进行三阶段教学。

7. 收起控制卡，打乱字卡的顺序，进行字卡和词卡的配对。

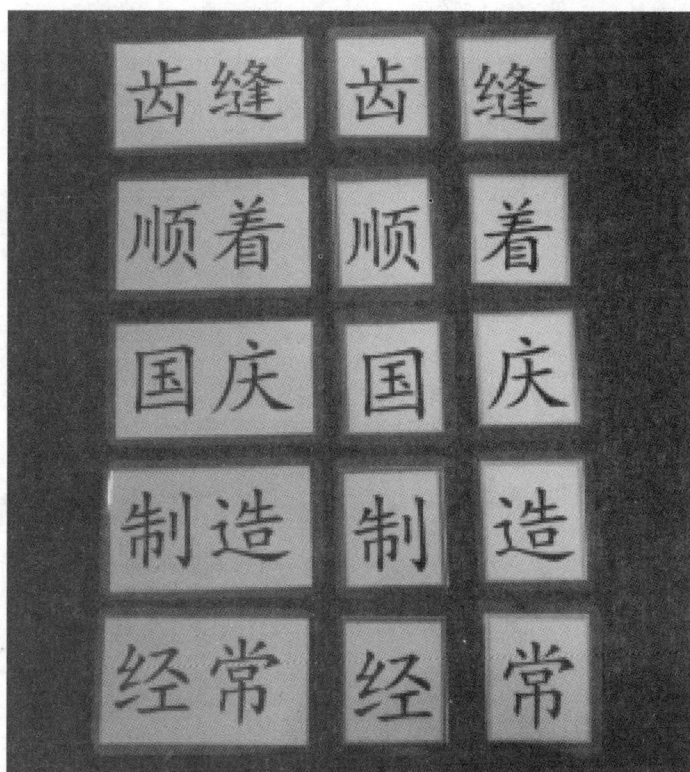

图 4-12

（六）工作名称：形容词三步卡

教具构成　形容词三步卡若干(图 4-13)。

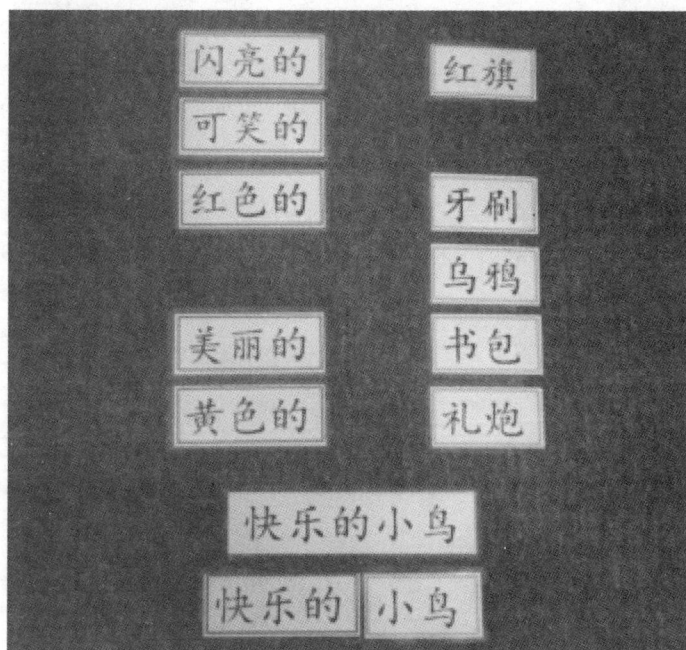

图 4-13

工作前经验 4岁以上。

工作目的 了解形容词的意义，知道形容词在句子中的使用方法，丰富词汇量。

工作步骤

1. 告诉幼儿："今天我们要进行形容词三步卡的工作。"

2. 把教具拿到工作毯上。

3. 先把控制卡按纵列排好。

4. 拿出控制卡，分发给幼儿，让他们进行配对。

5. 拿出形容词卡，分发给幼儿，让他们进行配对。

6. 进行三阶段教学。

7. 收起控制卡，打乱字卡的顺序，进行形容词卡和词语卡的配对。

（七）工作名称：量词三步卡

教具构成 量词三步卡若干（图4-14）。

工作前经验 3岁以上。

工作目的 通过灵活操作量词卡，正确使用量词。

工作步骤

1. 告诉幼儿："今天我们要进行量词三步卡的工作。"

2. 把教具拿到工作毯上。

3. 先把控制卡和图片卡按横向排好。

4. 拿出量词卡，分发给幼儿，让他们进行配对。

5. 收起控制卡，打乱量词卡的顺序，重新排序，巩固对量词的认识。

图4-14

（八）工作名称：故事阅读三步卡

教具构成　故事阅读三步卡若干（图4-15）。

图4-15

工作前经验　4岁以上。

工作目的　通过阅读和理解每张图片的意义，讲述完整故事，逐步培养阅读能力。

工作步骤

1. 告诉幼儿："今天我们要进行故事阅读三步卡的工作。"

2. 把教具拿到工作毯上。

3. 先把图片卡按横向排好。

4. 拿出故事卡，分发给幼儿，让他们进行配对。

5. 让幼儿完整阅读故事。

6. 重新阅读故事。

7. 收起控制卡，打乱故事卡的顺序，重新排序，阅读故事。

实训经验分享

蒙氏语言领域配对卡的制作

实训目标

1. 掌握蒙台梭利教具的规律及操作目标。

2. 能自制蒙台梭利教具。

3. 有灵活地、个性化地进行蒙台梭利教育的素养。

实训准备

手工制作和绘画的用品。

实训步骤

1. 根据提示图（见配套教学资源），结合配对卡的特点，制作配对卡。可用剪贴或绘画的方式，涉及的汉字都用打印机打印出来，贴到配对卡对应的位置上。

2. 以学习小组为单位，完整展示使用配对卡的过程。

3. 结合使用情况进行自我评价。

4. 组间评价，提出修改意见。

5. 教师从配对卡的颜色、轮廓、文字三方面进行评价总结，提出修改意见。

6. 实训小组根据修改意见继续修改提升，修改后以班级板报的形式展览分享。

实践案例诊断

扫描二维码观看岗位工作实录视频"语言领域：鸡的成长过程配对"，并思考和回答以下问题。

1. 视频中教师的指导语符合蒙台梭利教育对教师语言的要求吗？为什么？

2. 你如何评价该教师的教具示范行为？

视频资源

鸡的成长
过程配对

项目五 蒙台梭利科学文化领域工作

工作导图

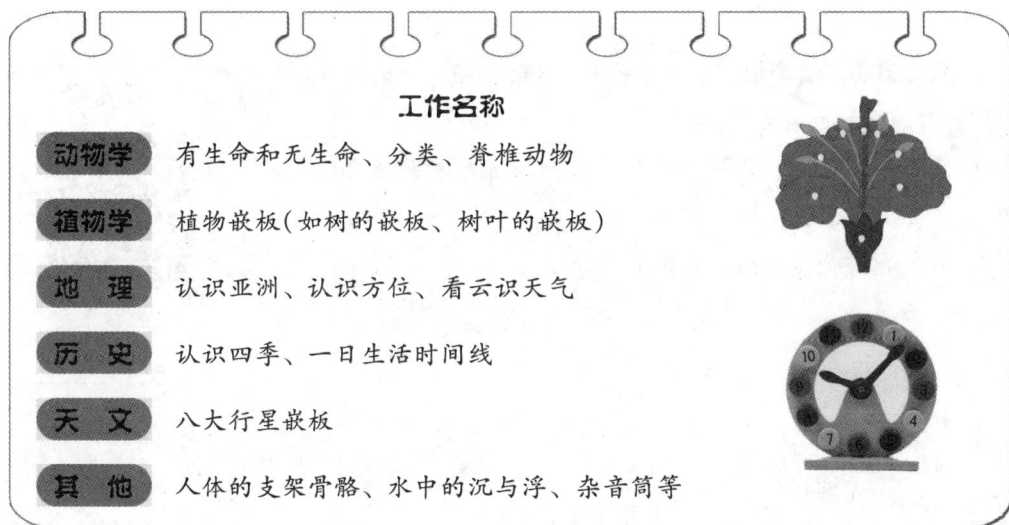

工作名称	
动物学	有生命和无生命、分类、脊椎动物
植物学	植物嵌板(如树的嵌板、树叶的嵌板)
地理	认识亚洲、认识方位、看云识天气
历史	认识四季、一日生活时间线
天文	八大行星嵌板
其他	人体的支架骨骼、水中的沉与浮、杂音筒等

一、科学文化领域动物学教具操作活动

(一)工作名称：有生命和无生命

第一次展示：观察

工作前经验 饲养鸟的经验。

操作材料 活鸟、标本鸟。

工作目的

1. 直接目的：培养幼儿对生命体的行为特征和身体特征的观察能力。

2. 间接目的：

(1)培养幼儿对有生命和无生命的视觉辨别力。

(2)了解有、无生命的意义。

工作步骤

1. 介绍工作名称。

2. 从教具柜中取出标本鸟，从观察柜中取出活鸟，放在工作毯上。

3. 教师以提问的方式让孩子说出标本鸟和活鸟的不同。

4. 启发幼儿得出结论：有生命的物体会成长，需要空气、水、食物；无生命的不会成长，不需要空气、水和食物。

变化延伸　找出周围环境中有生命和无生命的事物。

错误控制　教具观察。

兴趣点　对动物的兴趣，对生命的发现。

指导用语　成长、空气、水、食物。

注意事项　此项工作是幼儿第一次接触动物学教育，教师要以正确的方式启发幼儿观察思考有生命和无生命的区别。

第二次展示：分类

工作前经验　已有比较活鸟和标本鸟的经验。

操作材料　有生命和无生命物体的图片、有生命和无生命物体的字卡各 1 张。

工作目的

1. 直接目的：学习对图卡分类。

2. 间接目的：了解有生命和无生命物体的特征，掌握分类的思维方法。

工作步骤

1. 教师将有生命和无生命物体的两张字卡放在工作毯上。

2. 团体教学，让一名幼儿选择一张图片展示给其他幼儿看。

3. 幼儿展示完图卡之后，自行判断这张图卡中的物体是有生命的还是无生命的，然后放在相应的字卡下进行分类。

4. 按照此方法将所有照片分类。

变化延伸　自己制作有生命的图册。

错误控制　师幼互动中的反馈。

兴趣点　分类的成就感。

指导用语　有生命的定义和无生命的定义。

注意事项

1. 在幼儿展示图卡的时候，教师要注意引导其采用正确的方法，使图片正对着其他幼儿。

2. 幼儿分类出现错误的时候，教师要让幼儿自行解决问题。

（二）工作名称：脊椎动物——鱼类实物的观察

工作前经验　饲养鱼类。

操作材料　一条放在容器内的活鱼，一条放在托盘上的新鲜鱼。

工作目的

1. 直接目的：认识鱼的各部位名称和构造。

2. 间接目的：发展幼儿的专注力和秩序感。

工作步骤

1. 将鱼放在幼儿面前，告诉幼儿今天的工作内容是观察和讨论鱼的身体特征。

2. 让幼儿逐个观察和触摸鱼的各部分。

3. 和幼儿进一步讨论鱼类各部位的功能。

4. 拿托盘内的新鲜鱼给幼儿讲解鱼的各部位的特征。

5. 教师让幼儿仔细观察鱼在水中的情形。

6. 观察结束后，将鱼放在观察柜上。

变化延伸　观察鱼的鱼鳍。

错误控制　成人的示范。

兴趣点　对鱼的兴趣。

指导用语　鱼身体各部位的名称。

注意事项　儿童触摸鱼时的手势。

（三）工作名称：脊椎动物——鱼的嵌板

工作前经验　观察鱼的身体结构。

操作材料　鱼的嵌板。

工作目的

1. 直接目的：培养幼儿对鱼的行为特征和身体特征的观察能力。

2. 间接目的：

（1）培养幼儿对物体尺寸的视觉辨别力。

（2）锻炼幼儿手指的灵活性，为书写做准备。

（3）训练幼儿从左至右的方向感。

（4）为学习数学中的一一对应关系做铺垫。

（5）发展幼儿的秩序感、专注力、协调性和独立性。

工作步骤

1. 介绍工作名称，从教具柜取出嵌板，说明"这是一条鱼"（图5-1）。

2. 右手把嵌板从嵌板框中取出，散放。

3. 划定范围，选中鱼头的嵌板。

4. 触摸嵌板和嵌板框。

5. 嵌入鱼头嵌板，说明"这是鱼头。"

6. 把嵌板嵌入，收回，结束。

变化延伸　拓鱼。

视频资源

脊椎动物——
鱼的嵌板

图 5-1

错误控制 嵌板与嵌板框的对应。

兴趣点 把鱼的嵌板放进嵌板框的成就感。

指导用语 鱼身体各部分的名称。

注意事项 此次展示要充分，在幼儿工作遇到困难时，教师要注意指导方法，可以和幼儿一同完成，但不要包办代替。

（四）工作名称：脊椎动物——鱼类各部位的名称

工作前经验 了解鱼类各部位的名称。

操作材料 鱼各部位的展示卡、三步卡和定义册。

工作目的

1. 直接目的：使幼儿了解脊椎动物的知识。

2. 间接目的：通过阅读卡提高阅读能力。

工作步骤

1. 介绍工作名称，取教具。

2. 先展开展示卡，将三步卡的图字卡依照展示卡的次序由左至右排列在工作毯上。

3. 将图卡与图字卡配对，放在正确部位的下方。

4. 将部位名称字卡与图卡配对，放在正确部位的下方。

5. 翻开定义册解说鱼类各部位名称的功能。

6. 收回，结束。

变化延伸 自己动手绘制名称册。

错误控制 配对的过程。

兴趣点 配对的成就感。

指导用语 鱼类各部位的名称。

注意事项 展示图卡依次摆放的动作。

二、科学文化领域植物学教具操作活动

（一）工作名称：树的嵌板

工作前经验 了解树的结构。

操作材料 树的嵌板、树的三步卡。

工作目的

1. 直接目的：使幼儿了解树的组成部分及名称。

2. 间接目的：使用三步卡熟悉树的各部分名称。

工作步骤

1. 介绍工作名称。

2. 取出树的嵌板放在工作毯上（图5-2）。

3. 请幼儿观察树的各部分结构。

4. 取出各部分拼图块，将它们按照从上到下的顺序重新拼摆成完整的图案。

5. 再次取下各部分的拼块，将它们与名称卡对应，再摆拼回原样。

6. 将三步卡依次摆放在工作毯上，请幼儿将它们与拼板对应，并说出树的各部分的名称。

7. 收拾整理用具。

变化延伸　将拼图的轮廓印画在纸上，请幼儿涂色并说出这是树的什么部位。

错误控制　拼板本身的轮廓。

兴趣点　树的嵌板。

指导用语　树的各部分名称。

注意事项　拼图部分依次摆放。

（二）工作名称：树叶嵌板

工作前经验　观察树叶的经验。

操作材料　树叶的标本和图片及所对应的字卡。

工作目的

1. 直接目的：了解树叶的种类、形状、大小和颜色。

2. 间接目的：培养幼儿分类的能力。

工作步骤

1. 介绍工作名称。

2. 嵌板拿出后放在工作毯上，图片、字卡散放，托盘放在右下角（图5-3）。

3. 拿起嵌板说"树叶"，然后把大树叶嵌板放在工作毯上。寻找带有树叶字的图片，将其放在嵌板右边，依次寻找树叶的图片和字卡。

4. 右手二指捏出叶身放在嵌板下面，从散放的图片中寻找带有叶身字样的图片放在树叶头部嵌板右侧，依次寻找叶身图片和字卡。

5. 拿出叶脉嵌板放在树叶头部下边，方法同上；拿出叶柄嵌板放在树叶身体下边，方法同上；拿出托叶嵌板放在树叶身体下边，方法同上。

6. 名称练习，三段式教学。

7. 收教具：从树叶的头部开始收，先将树叶的头部嵌入嵌板，然后将中间的图片叠放在第一个图片上，边收边说"叶身"。收叶身字卡，放在第一个图片上，边收边说"叶身"，依此类推。

图 5-2

图 5-3

8. 收拾整理用具。

变化延伸 树叶拓画。

错误控制 每个图片后面都有相应大小的辨别标记。

兴趣点 拼图过程。

指导用语 叶子各部位的名称。

注意事项 拼板的顺序；收图片与字卡的顺序。

三、科学文化领域地理教具操作活动

（一）工作名称：认识亚洲

工作前经验 了解亚洲是世界的一个洲。

操作材料 世界地图嵌板、亚洲地图嵌板、亚洲各国标签。

工作目的

1. 直接目的：认识自己所在的洲，了解亚洲是由许多个国家组成的。

2. 间接目的：了解亚洲各个国家的名称。

工作步骤

1. 介绍工作名称。

2. 取出世界地图嵌板，请幼儿找出亚洲的位置。

3. 取出亚洲地图嵌板和世界地图嵌板上的亚洲部分，做比较。

4. 找到亚洲拼图里的中国部分，把它放在嵌板的右边，介绍中国是我们居住的地方。

5. 继续找出朝鲜、日本、俄罗斯等邻国，请幼儿辨认。

6. 收拾整理用具。

变化延伸 画亚洲地图、认识亚洲的海洋。

错误控制 嵌板本身的轮廓。

兴趣点 对亚洲的兴趣。

指导用语 国家的名称。

注意事项 教师应给幼儿提供充分的时间操作嵌板。

（二）工作名称：认识方位

工作前经验 了解亚洲是世界的一个洲。

操作材料 世界地图嵌板、亚洲地图嵌板、亚洲各国标签。

工作目的

1. 直接目的：认识自己所在的洲，了解亚洲是由许多个国家组成的。

2. 间接目的：了解亚洲各个国家的名称。

工作步骤

1. 介绍工作名称。

2. 出示方位图，学习识别北、南、西、东的方法。

3. 取出亚洲地图嵌板和世界地图嵌板上的亚洲部分，做比较。

4. 让幼儿目视太阳的方向，引导幼儿按照太阳"东升西落"的规律，确定东方，并把字卡"东"贴在墙上；同时让一名幼儿站在东面，另一名幼儿站在太阳落山的方向，感觉东面和西面是相对的。用同样方法引导幼儿认识北和南也是相对的。

5. 依次在墙面上贴方向卡。

6. 收拾整理用具。

变化延伸　在平面图中认识方位。

错误控制　嵌板本身的轮廓。

兴趣点　对方位的兴趣。

指导用语　方位名称。

注意事项　教师给儿童展示方位的相对性。

（三）工作名称：看云识天气

工作前经验　生活中有观察云变化的经验。

操作材料　不同形状、不同颜色的云的图片，字卡，天气卡，2个小木盒。

工作目的

1. 直接目的：能根据常见的两种云来判断晴天和阴天。

2. 间接目的：认识不同云的变化，培养观察力和对天文探索的兴趣。

工作步骤

1. 介绍工作名称，取教具。

2. 把装云彩图片的盒子放在左边，装字卡和图形卡的盒子放在右边。

3. 拿出常见的晴天和阴天时的云的图片（图5-4、图5-5），引导幼儿了解生活中常见的云，知道其代表的天气。将对应的字卡和天气卡放在对应的云的上面。

4. 将天气卡和字卡收起来。

5. 让幼儿看云说天气，并将对应的字卡和天气卡找出来。

6. 收拾整理用具。

图 5-4

图 5-5

变化延伸 方法和知识的延伸。

错误控制 师幼交流中的即时反馈。

兴趣点 云的形状和颜色。

指导用语 晴天、阴天。

注意事项 教师应留给幼儿自己操作字卡和图卡的时间。

四、科学文化领域历史教具操作活动

(一)工作名称：认识四季

工作前经验 观察教室外的季节变换。

操作材料 四季字卡各 1 套、代表各个季节的物品各 1 份、表示各个季节的图片各 1 张、工作毯 1 块。

工作目的

1. 直接目的：认识四季。

2. 间接目的：了解四季的特点。

工作步骤

1. 介绍工作名称，取出四季的学具放在工作毯上(图 5-6)。

2. 提问：现在是几月，是什么季节?

3. 取出本月的学具，讨论这个季节的特征：天气、着装、饮食、用品等。

4. 把代表本季节的物品放在工作毯中央，再把相对应的季节图片放在下面，取出字卡与其对应。

5. 以同样的方式介绍其他几个季节。

6. 收拾整理用具。

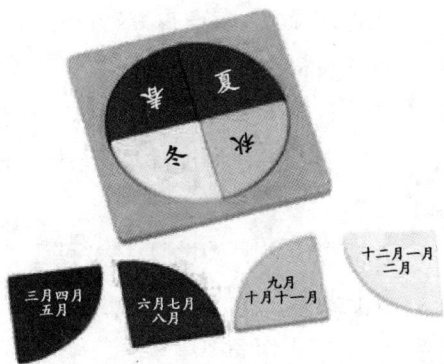

图 5-6

变化延伸 在不同的季节带幼儿到户外活动，体验不同季节的特征。

错误控制 师幼互动的即时反馈。

兴趣点 教具本身。

指导用语 四季名称。

注意事项 教师应给幼儿充分的时间讨论四季的特征。

(二)工作名称：一日生活时间线

工作前经验 观察一日的太阳变化。

操作材料 一日时间的三步卡。

工作目的

1. 直接目的：了解自己在一天中各个时间段的活动内容。

2. 间接目的：懂得珍惜时间。

工作步骤

1. 介绍工作名称，取出一日生活三步卡，分类摆好。

2. 从早晨 6 点开始逐一按照时间的顺序将时间段的卡片摆好。

3. 对照活动内容卡将时间卡摆好。

4. 观察所展示的学具，说说自己的一日活动。

5. 收拾整理用具。

变化延伸　制作一套家庭时间卡。

错误控制　三步卡的完整组合。

兴趣点　图片的颜色和内容。

指导用语　一日各类活动的名称。

注意事项　教师应给幼儿提供充足时间组合三步卡。

五、科学文化领域天文教具操作活动

工作名称：八大行星嵌板

工作前经验　具有探究星系的兴趣。

操作材料　八大行星嵌板，八大行星标签。

工作目的

1. 直接目的：增加对太阳系认知的兴趣，认识八大行星，知道行星会沿着轨道围绕太阳运行。

2. 间接目的：为学习八大行星三步卡做准备，培养儿童科学探究的兴趣。

工作步骤

1. 介绍工作名称。

2. 从学具柜取出八大行星嵌板的学具放在工作毯上。

3. 介绍太阳系里八大行星的工作。

4. 将嵌板里面的所有球体拿出来在工作毯上排成一排。

5. 拿出八大行星的标签与球体对应摆放，配对。

6. 收拾整理用具。

变化延伸

利用八大行星嵌板描出八大行星的轮廓并涂色。

错误控制　教具本身的特征。

兴趣点　太阳系的故事。

指导用语　太阳系。

注意事项　教师的讲解顺序要先从太阳开始。

六、科学文化领域其他教具操作活动

(一)工作名称：人体生理学——人体的支架骨骼

工作前经验 观察过建筑物的支架。

操作材料 人体的支架骨骼(图5-7)。

工作目的

1. 直接目的：知道骨骼是人体的支架。

2. 间接目的：初步了解骨骼的名称和作用，懂得用多种方法保护自己的骨骼。

工作步骤

1. 介绍工作名称，取人体的支架骨骼，引导幼儿观察骨骼的构成。

2. 让幼儿做相应的动作来感受骨骼的作用。

3. 给幼儿提供操作卡，请幼儿判断操作卡上幼儿行为的正误，懂得保护自我骨骼的多种方法。

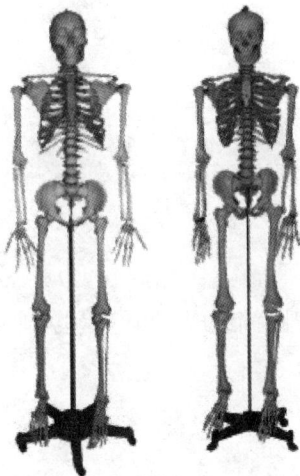

图 5-7

4. 收拾整理用具。

变化延伸 给爸爸妈妈讲讲保护骨骼的方法。

错误控制 师幼交流的即时反馈。

兴趣点 探究骨骼的功能。

指导用语 骨骼的名称。

注意事项 在儿童探究骨骼作用的时候，要注意引导其按照骨骼的生长顺序操作。

(二)工作名称：科学实验——水中的沉与浮

工作前经验 玩水的经验。

操作材料 小泡沫板、石头、玻璃球、雪花片、小球、塑料瓶、操作盘、记录表、笔、水盆。

工作目的

1. 直接目的：观察、比较物体在水中的沉浮现象。

2. 间接目的：用简单的图画记录探索的结果。

工作步骤

1. 介绍工作名称，取教具。

2. 出示托盘中的实物，让幼儿观察。

3. 请幼儿猜猜把这些东西放入水中后，有哪些东西会沉入水底，有哪些东西会浮出水面。

4. 指导幼儿把猜想的结果写在记录表上，设置好上浮和下沉的标记。

5. 和幼儿一起动手把材料投放到水中，实际操作后观察沉浮状态，指导幼儿做好沉浮现象的记录。

6. 请幼儿比较实验记录和先前的猜测。

7. 幼儿对自己的实验进行总结，并与其他幼儿分享，整理用具。

变化延伸　尝试其他材料进行同样的实验。

错误控制　实验的结论。

兴趣点　沉与浮的变化。

指导用语　沉、浮。

注意事项　指导幼儿做好沉浮的标记。

(三)工作名称：杂音筒

教具构成　由2个木盒12个圆筒组成，红色为控制组，蓝色为操作组，分别装入沙子、小米、石子等。

工作前经验　3岁以上。

操作材料　音感钟。

工作目的

1. 直接目的：辨别声音的强弱。

2. 间接目的：建立配对和序列的概念。

工作步骤

1. 介绍工作名称，取教具。

2. 从木盒内取出红色筒，把圆筒码成一横排，再把蓝色圆筒拿出放在对面码成一排。

3. 拿出控制组中的蓝色圆筒放到耳边，纵向摇动仔细分辨声音，再取出红色圆筒放在耳边纵向摇动圆筒听辨声音，若声音相同就以配对的方式放在最前列，若不同就更换操作组直到声音相同为止。

4. 收教具，结束。

变化延伸　更换圆筒的内容物。

错误控制　筒底部的记号。

兴趣点　声音。

指导用语　小的、大的、轻柔的、舒缓的、急促的。

注意事项　先选择最强音和最弱音来辨识。

(四)工作名称：音感钟

教具构成　第一组钟的台座为原木色，称为操作组，由中央 C 开始，包括一个八度音程内所有的全音和半音所组成的 13 个音。另一组为控制组，台座有白黑两种颜色，白色代表由中央 C 开始一个八度音程内所有的全音，黑色则代表八度音程内所有的半音，主要由木质的击锤和止音棒、音感钟键板、音名白键、升降音名黑键等组成。

工作前经验　3.5 岁以上。

操作材料　音感钟。

工作目的

1. 直接目的：启发幼儿对音乐的感受力。

2. 间接目的：

(1)感知和创造音乐。

(2)将动作与游戏、音乐相结合。

工作步骤

1. 介绍工作名称，取教具，放置音感钟的方法：音感钟上有一个绿色的底板，将有黑白的地方放前面。白色的铃是控制铃，只有一个，放在白色底板的后面，白色的控制组放一排，原木色的操作组放在白色底板上。音感钟正常情况下都应该放在绿色的底板上或架子上。

2. 随意取一个原木色的钟，一只手托着它的底部，很小心地拿到桌子上，用木槌敲击，然后听，直到不能听到声音为止。教师和幼儿轮流进行。

3. 音感钟配对。

4. 按发出音的高低将配对钟排序，结束工作。

变化延伸　结合实物和动作的音乐游戏。

错误控制　音感。

兴趣点　乐音。

指导用语　你来敲。

注意事项　在进行唱音时，如果幼儿跑调，不要批评或指责幼儿。

实训经验分享

模拟工作展示

实训目标

1. 掌握蒙氏教具操作守则及注意事项。

2. 能规范、标准地展示工作并能对自己和他人的工作进行评价。

3. 乐意练习、展示教具操作。

实训准备

蒙氏实验室或蒙氏幼儿园。

实训步骤

1. 介绍模拟教育情境、角色分工(一般以学习小组为单位,有模拟教师的,有模拟小朋友的,图5-8)。

2. 按蒙氏工作流程进行展示(图5-9)。

3. 结合蒙氏教具操作守则进行自我评价(图5-10)。

4. 组间评价(图5-11)。

5. 教师主要从教师仪态、语言、动作三方面进行评价总结,提出修改意见。

图 5-8

图 5-9

图 5-10

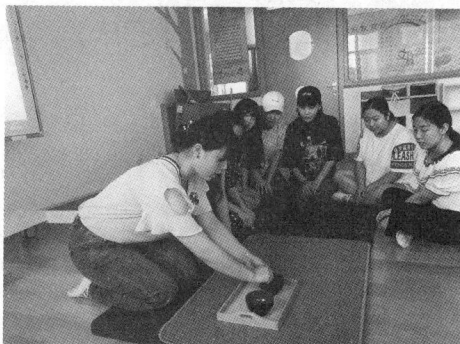

图 5-11

6. 实训小组根据修改意见继续练习提升,并从情境创设、角色分工、展示语言、展示动作、仪容仪态、心理状态调整等方面撰写修改报告。

实践案例诊断

扫描二维码观看岗位工作实录视频"科学文化领域：火山喷发"，并思考和回答以下问题。

1. 你认为视频中教师的哪些行为为你日后的岗位工作提供了借鉴和示范？

2. 视频中教师的哪些行为启发了你对科学探究活动的实施所应该注意问题的思考？

视频资源

火山喷发

视频资源索引